DU MÊME AUTEUR

Romans

LA CLIENTE, Gallimard, 1998 (prix Wizo, Goncourt des Polonais), «Folio» n° 3347.

DOUBLE VIE, Gallimard, 2001 (prix des Libraires), «Folio» n° 3709.

ÉTAT LIMITE, Gallimard, 2003, «Folio» n° 4129.

LUTETIA, Gallimard, 2005 (prix Maisons de la presse), «Folio» n° 4398.

LE PORTRAIT, Gallimard, 2007 (prix de la Langue française), «Folio» n° 4897.

LES INVITÉS, Gallimard, 2008, «Folio» n° 5085.

VIES DE JOB, Gallimard, 2011 (prix de la Fondation Prince Pierre de Monaco, prix Méditerranée, prix Ulysse), «Folio» n° 5473.

UNE QUESTION D'ORGUEIL, Gallimard, 2012, «Folio» n° 5843.

SIGMARINGEN, Gallimard, 2014, «Folio» n° 6007.

Biographies

MONSIEUR DASSAULT, Balland, 1983.

GASTON GALLIMARD, Balland, 1984, et «Points-Seuil» (Grand Prix des lectrices de *Elle*), repris dans «Folio» n° 4353.

UNE ÉMINENCE GRISE, JEAN JARDIN, Balland, 1986, repris dans «Folio» n° 1921.

L'HOMME DE L'ART: D. H. KAHNWEILER, Balland, 1987, repris dans «Folio» n° 2018.

ALBERT LONDRES, VIE ET MORT D'UN GRAND REPORTER, Balland, 1989 (prix de l'Essai de l'Académie française), repris dans «Folio» n° 2143.

SIMENON, Julliard, 1992, repris dans «Folio» n° 2797. Édition revue et augmentée en 2003.

HERGÉ, Plon, 1996, repris dans «Folio» n° 3064.

LE DERNIER DES CAMONDO, Gallimard, 1997, repris dans «Folio» n° 3268.

Suite des œuvres de Pierre Assouline en fin de volume

GOLEM

PIERRE ASSOULINE

de l'Académie Goncourt

GOLEM

roman

GALLIMARD

À Philippe Piotraut et Jeremy Taïeb

« Où irais-je, si je pouvais aller, que serais-je, si
je pouvais être, que dirais-je, si j'avais une voix,
qui parle ainsi, se disant moi ? »

SAMUEL BECKETT,
« L'innommable », in *Nouvelles et textes pour rien*

1

Quand fond la neige où va le blanc ?

Accoudé à la fenêtre, le front posé contre la vitre, le regard perdu dans les artères du Grand Hôpital, cet entrelacs de rues, d'avenues qui lui donnaient l'allure d'une ville dans la ville, ce que le lieu était devenu à force d'adjonctions de bâtiments, il s'abandonnait encore et encore à cette question sans réponse dont il ignorait l'auteur malgré ses recherches sur la Toile et dans les thesaurus des bibliothèques ; mais après tout, qu'importerait que l'auteur fût poète, dramaturge, météorologue ou préposé au nettoyage comme ces employés de la Ville de Paris qu'il observait déblayer la neige de janvier pour s'emparer de lourds et épais sacs-poubelle pleins, certainement, de résidus de maladies dont il fallait se débarrasser au plus vite.

Quand fond la neige où va le blanc... où va le blanc... le blanc... À présent il marmonnait sans point d'interrogation car il s'était tellement approprié la formule qu'il l'avait déchargée du doute. Il se retourna, dévisagea les malades autour de lui et retourna s'asseoir parmi eux.

La salle d'attente du service de neurologie du Grand Hôpital était aussi claire que l'au-delà de la fenêtre. Voilà où va le blanc, ces murs, ce sol, ces plafonds, les couloirs. À croire que la neige s'y était déposée dans la nuit.

Le cadran de l'horloge murale indiquait 9 heures et 32 minutes. C'était un de ces matins d'hiver où il se sentait si confus qu'il ne se souvenait même plus s'il avait bien bu son café une heure avant. Il expira contre la paume de sa main, et tenta de deviner son haleine ; ce ne fut guère convaincant et n'entraîna que le sourire en coin d'une dame, certaine d'avoir repéré un alcoolique honteux.

Il observa la patientèle : celui-ci avait un teint d'hémorroïdaire, celle-là tocs en stock ; une autre des yeux de lit défait et la mise fripée de celle qui émerge d'une garde à vue ; l'autre près du radiateur, qui n'arrêtait pas de bavarder avec sa voisine, avait l'air de celui qui a toujours le bon mot mais jamais le mot juste ; plus loin, un homme entre deux âges, dont l'assise incertaine sur le rebord de sa chaise révélait qu'il devait serrer la main du bout des doigts ; et celui-là tout près, le souffle du mauvais petit-blanc-du-matin, de quoi avoir toute la journée un faux pli dans le jugement. Le vieux monsieur au faciès intestinal assis à sa droite, qu'il avait cru assoupi à côté de son corps tant il en semblait détaché, venait de découvrir le tatouage que son jeune voisin portait discrètement sur le flanc de son avant-bras gauche, non loin du poignet ; manifestement incrédule, il tentait de se rapprocher tout en évitant que sa curiosité paraisse intrusive ; sa moue exprimait le doute devant le hiatus entre l'âge supposé du jeune et la nature avérée de son tatouage, un numéro qu'il expliqua, J'avais promis à mon grand-père, ancien pensionnaire à Auschwitz, qu'après sa mort quelque chose de ce qu'il avait vécu là-bas survivrait ici pour qu'on n'oublie pas, alors voilà, on n'oublie pas.

Il pouvait même deviner ce qui les amenait là, chez les spécialistes de la spécialité. Le professeur lui racontait ses cas sous le sceau de la confidence, leur ancienne et solide amitié autorisant cette confiance. Certains visages sont comme des baromètres. Celui-là, Parkinson. Chez celle-ci, l'apathie et l'absence de motivation du type rien-ne-me-dit-rien annonçaient la dépression. À côté d'elle, un homme trahi par ses tics. Le quotidien de cette femme était probablement envahi par les rituels, du genre à mettre des heures avant de sortir de son appartement car il lui fallait marcher uniquement sur certaines lignes du sol. La vie, on la lui avait infligée. Pour les autres, il ne se serait pas prononcé, d'autant qu'un accompagnateur, mal à l'aise dans cette atmosphère, pouvait avoir l'air plus malade encore que le patient qu'il avait amené là. Un AVC peut-être chez celui-ci, eu égard à la lenteur et l'imprécision de ses mouvements ; sinon, il devait bien y avoir quelques Alzheimer dans le lot mais leur regard ne suffisait pas à le refléter, il eût fallu engager la conversation pour en être sûr. Or ce n'était pas dans ses habitudes avec qui que ce soit où que ce soit.

« Et vous, monsieur, vous avez rendez-vous à quelle heure ? » lui demanda son voisin, impatient sinon inquiet à la vue du nombre de personnes réunies dans cet espace clos.

Il eût été facile de lui répondre ; il eût même été agréable de le rassurer en lui apprenant que la salle d'attente était commune à trois médecins dont les noms étaient apposés sur les trois portes y donnant accès. Un autre peut-être, pas lui. Pour ne pas avoir à prendre le risque d'entrer en conversation ou, pire encore, de susciter l'ombre d'un lien, odieuse tyrannie que la société tentait de lui imposer. C'est rare, quelqu'un qui ne recherche ni l'affection ni l'attention alors qu'il est tout sauf indifférent. Lui n'était pourtant pas désabusé mais simplement détaché.

« Pas de rendez-vous », dit-il simplement sans forcer la voix, ce qui n'eut d'autre effet que d'augmenter l'inquiétude de son voisin.

Il les dévisagea un à un, puis les envisagea un à un, même ceux qui flottaient dans ce triste état végétatif que certains s'obstinent à appeler la vie. Drôle d'échantillon d'humanité, mais c'est pourtant bien de nous qu'il s'agit. Des personnes de toutes sortes et de toutes conditions que réunissait leur qualité de solliciteuses. On les sentait prêtes à se jeter du haut de leurs secrets. Certaines ne lisaient pas. Même pas un vieux magazine. Le spectacle de gens capables de ne rien faire du tout pendant plus d'une demi-heure l'avait toujours stupéfié, surtout dans les trains ou les avions long-courriers dans lesquels ce néant absolu pouvait durer des heures. Ici leur regard ne se fixait sur rien. Il suintait l'ennui, cette araignée silencieuse. L'ennui et l'angoisse.

Tous étaient en demande. On est réduit à peu de choses lorsqu'on vient chercher un diagnostic sans s'avouer que l'on craint un verdict. Ils portaient une ordonnance sur leur visage. Parfois, cela peut être embarrassant si l'on convient que, pour qui sait la lire, la physionomie annonce une âme. Du moins jusqu'à un certain âge, se disait-il; car au-delà, tous les vieux ont l'air juif.

De violents maux de tête le reprirent, ce qui l'amena étrangement à relativiser ses jugements pour les replacer au niveau de molles intuitions.

Après leur avoir prêté une biographie et un destin, comme il le faisait autrefois avec sa femme dans les restaurants des grands hôtels en observant les couples de morts dînant, il se résolut à diviser l'humanité en deux catégories : ceux qui en viennent à se demander où peut bien aller le blanc une fois que la neige a fondu, et ceux qui ne comprennent même pas qu'il y ait des gens pour s'infliger un pareil tourment. Il y en a que cela empêche de dormir et d'autres que cela endort.

Il les regardait cette fois comme un groupe, sans haine, sans mépris, sans crainte, et se disait que décidément nous avançons dans une société où il y aura de moins en moins de gens à qui parler. Pourtant eux aussi avaient l'air mystérieux, comme tout le monde. Malheur à celui qui les distraira de leur secret. Malgré ce qu'on dit sur la brièveté de la vie, ils paraissaient tous la trouver bien longue. S'ils avaient pu deviner la part de fantastique que recèle la salle d'attente d'un hôpital, ils en auraient été si effrayés que leur état de malade en aurait été aggravé.

Ils se trouvaient là ensemble comme sur une scène de théâtre. Quatorze personnages en quête d'eux-mêmes. Unité de temps, unité de lieu, unité d'action, décor que sa sobriété contraint au minimum, atmosphère intemporelle. Un peu trop de monde peut-être, les théâtres n'avaient plus les moyens d'une telle distribution, il eût fallu en achever quelques-uns. Six serait un bon chiffre. Voilà ce qu'il pensait à ce moment précis de la journée, comme un couple heureux de sa complicité dans le restaurant d'un grand hôtel, sauf qu'il était seul et malade dans une salle d'attente du Grand Hôpital.

Une tache de couleur au centre du mur principal réchauffait la pièce. Disons qu'elle la ramenait à l'humanité ordinaire. Une grande affiche pour une exposition, mais les indications de lieu et de temps étaient si fines et si discrètes que, délicatement encadrée de baguettes noires et placée sous verre, elle passait pour une lithographie. Il était comme hypnotisé par cette œuvre de Rothko qu'il connaissait bien et dont on pouvait lire le titre énigmatique : *No. 61 (Rust and Blue)*. Trois bandes superposées horizontalement. Le bleu y triomphe, la rouille plus sobrement. Il ne s'arrachait à sa contemplation que pour tourner la tête vers la fenêtre et s'aveugler du monochrome blanc qui s'en dégageait, comme un tableau rival accroché là par un créateur subliminal. Juste assez pour créer un climat d'étrangeté où, l'un prolongeant l'autre, l'intérieur et l'extérieur ne font plus qu'un. L'ambiance de la salle d'attente en était ouatée. Lorsqu'une femme s'y déplaçait pour prendre une revue sur la table basse, ses pas sur le carrelage résonnaient comme s'ils crissaient sur la neige. Les patients semblaient assis sur des coussins d'air, et leurs paroles, irréelles.

La secrétaire médicale se tenait dans l'encadrement de la porte, les mains sur les hanches en position d'attente, un large sourire lui barrant le visage.

« Monsieur Meyer ? Monsieur Gustave Meyer, vous êtes là ? demanda-t-elle, esquissant un sourire si éclatant qu'on l'eût dit blanchi à la chaux. Vous êtes bien là ? » insista-t-elle, et le ton suffisait à faire entendre en écho un ironique : Parmi nous ?... « Le professeur Klapman vous attend. »

Il la suivit. À peine eurent-ils franchi la porte de son cabinet que le médecin lui posa la main sur l'épaule :

« Tu as vu ton affiche au mur ? Merci encore. Grâce à toi... »

Gustave Meyer doutait que son ami ait jamais pris la peine de faire autre chose que l'identifier, comme font la plupart des visiteurs de musée, se précipitant pour lire le cartouche et savoir de quoi et de qui il s'agit ; il lui aurait bien lancé l'injonction de son cher Michel Strogoff : Regarde de tous tes yeux, regarde !, mais il n'était plus temps.

« Robert, j'ai mal.

— Je m'en doute. Sinon tu ne serais pas là. Encore que je ferais bien une partie malgré les furieux qui attendent à côté. Allez, allonge-toi et raconte-moi. »

Raconter, mais quoi ? Lui expliquer qu'il vivait dans une oscillation. Lui avouer qu'il se sentait l'esprit surchargé de détails. Lui dire que sa tête lui pesait. Mais qu'est-ce qu'un neurochirurgien peut pour un homme qui se sent l'âme floconneuse ?

Tout ce qui nous assaille dans ces moments-là, et que l'on a eu largement le temps de ruminer dans la salle d'attente, ne se raconte pas sans appréhension : une certaine difficulté à faire cohabiter en soi tous les âges que l'on a vécus, le sentiment de se trouver enserré dans une forêt obscure, l'étrange impression d'être

20

comme un animal malade, tu vois à peu près, mon vieux Robert?

Les médecins comprendront-ils jamais que rien n'est aussi difficile que de nommer ce qui ronge sourdement, que de mettre des mots sur l'innommable. Trop flou, trop confus. Ils réclament de la précision. Alors leur dire quoi? Que ça vous titille dans le lobe temporal médian, vous savez, le long de la scissure rhinale, du côté de l'hippocampe, en fait juste en dessous, dans le cortex entorhinal?

Ça se passe dans la tête, voilà tout. Comme une violente migraine, mais un peu plus intense. Le crâne dans un étau, vous voyez?

Pas de pire ennemi que l'ennemi inconnu. En se relevant pour s'asseoir face au bureau, il aurait voulu lui dire que, parfois, la souffrance était telle qu'il se sentait dans le nu de la vie. Cela eût tout dit aux autres, et même à ceux qui attendaient d'être soignés dans la salle à côté, mais à lui, rien.

Le médecin appuya sur une touche de son téléphone et demanda qu'on lui monte son dossier.

«Tu ne l'as pas dans ton ordinateur?

— Les autres patients, pas mes dossiers personnels. Je me méfie. Tout est en réseau dans cette grande usine à microbes. Alors j'en reviens au bon vieux temps, j'ai confiance dans le papier. De toute façon, la numérisation des archives est ralentie par manque de budget. On est encore bloqués au « P » depuis des mois… L'hôpital, mon vieux !

— Mais vous gardez tous les dossiers ici ?

— Tu n'as pas remarqué que, régulièrement, les hôpitaux de Paris font état d'un incendie ou d'une inondation ? En réalité, après un certain nombre d'années, numérisés ou pas, ils les brûlent par manque de place et de moyens. »

On frappa à la porte. L'archiviste, un homme en blouse blanche d'une quarantaine d'années, haut et bien bâti, lui remit le dossier en main propre comme quelque chose de précieux, mission dont ne pouvait manifestement s'acquitter la secrétaire médicale, et encore moins le monte-charge. C'était déjà surprenant. La couverture beige l'était autant : à l'envers, on voyait bien qu'elle ne portait pas d'étiquette, ni de nom mais juste un grand « G » tracé au feutre sur toute la hauteur. « G » comme « Gustave ». Il voulut y voir un signe.

L'homme demeura debout sur le côté en position d'attente tandis que le médecin compulsait ses notes ; celui-ci ne s'en détacha que pour faire les présentations, ce qui n'était pas moins étonnant. Jan était doté d'une poignée de main d'une fermeté de broyeuse et d'un accent tchèque mâtiné d'absinthe St. Antoine à soixante-dix degrés ; Gustave Meyer n'eut guère de mal à l'identifier à force d'écouter celui, nettement plus doux, de la Kerschova sur France Musique. Quelques notes se firent d'ailleurs entendre, la sonnerie du téléphone portable de l'archiviste, le début d'une chanson de son pays probablement, auquel il répondit sans même s'excuser mais à mi-voix tout de même, tout en se massant le lobe de l'oreille droite. Il est vrai que le médecin semblait lui témoigner une confiance absolue.

La secrétaire n'osa passer qu'un seul appel téléphonique au professeur Klapman. Comme son ami se levait pour sortir par discrétion, il le fit se rasseoir d'un geste d'autorité. Gustave Meyer en profita pour inspecter sa bibliothèque. Ce qu'il faisait toujours partout. Rien n'est plus révélateur de l'imaginaire d'une personne sinon son ordinateur.

Des classiques de la neurologie. Des fragments de collections de revues reliées *Science, The New England Journal of Medicine, Brain, The Lancet, Neuroethics, The Hastings Center Report*... Et un jardin secret d'un surprenant éclectisme : des livres sur la kabbale, une anthologie poétique de Borges garnie d'un marque-page vers le milieu, des essais du philosophe Jean-Michel Besnier sur le transhumanisme hérissés de post-it fluo, des romans aux allures de best-sellers, *The Terminal Man* de Michael Crichton, *L'ultime secret* de Bernard Werber, des traités d'échecs, deux volumes d'œuvres complètes de Primo Levi, un homme auquel il vouait une telle vénération qu'il avait disposé son portrait en noir et blanc encadré de fines baguettes de bois, en équilibre instable contre les livres – mais cette instabilité allait bien à un homme qui avait fini par faire le grand saut dans l'escalier –, lui seul présent par l'intensité de son regard désespéré fixant le patient assis de l'autre côté du bureau, beau visage appuyé sur sa main gauche, les manches retroussées, lui seul à l'exclusion de tout autre, mais qui l'aurait remarqué ?

Comme toujours, Meyer prit des photos avec un petit appareil qui ne quittait jamais le fond de sa poche. Des images de son ami au téléphone, de la bibliothèque, d'une reproduction du cerveau affichée au mur, de l'archiviste qui se retourna d'instinct… Il photographiait comme autrefois on prenait des notes avec l'illusion insensée de capturer des instants. On eût dit qu'à chaque prise de vues il se fabriquait des souvenirs.

L'archiviste se tenait toujours debout à ses côtés, les jambes légèrement écartées, les mains croisées devant lui. Ils échangèrent un long regard muet en plongée / contre-plongée. Alors Jan se décida à sortir un carnet de sa poche qu'il tendit au patient assis :

« Un autographe, ça vous embête ? »

Gustave Meyer s'exécuta sans manifester le moindre sentiment. Alors le professeur Klapman se décida à raccrocher. Après avoir griffonné quelques mots, il rendit le dossier à Jan qui s'éclipsa en adressant un simple signe de tête.

Ne sachant comment donner forme à sa douleur, Meyer se prit la tête dans les mains, ferma les yeux, fronça les sourcils et ce fut assez.

«Je crois que j'ai été trop loin pour pouvoir revenir. J'entends des voix maintenant...

— Allons, vraiment?

— Je t'assure...

— Tu sais, on peut être sujet à des crises de migraines visuelles, auditives ou olfactives, ou même les trois à la fois, ça ne rend pas nécessairement neurologue. Il n'y a qu'Oliver Sacks! À propos, tu me ramèneras son livre la prochaine fois...

— Mais j'ai mal.

— Je vais te régler ça.»

Une heure durant, la porte du cabinet du médecin resta fermée en dépit de l'impatience des patients qui attendaient derrière.

La secrétaire redressa la tête lorsqu'elle perçut un bruit de chaises. Les deux hommes s'étaient enfin levés.

«Mais ce que j'ai, c'est normal ou pathologique?»

Klapman n'était pas du genre à sidérer le patient par une annonce qui ajouterait la souffrance à la douleur.

«Écoute, Gustave, on se connaît depuis... disons une trentaine. Je ne t'ai jamais rien caché. Cela fait un certain temps que je soigne ton vieux problème. Et tes migraines aussi. Dans le premier cas, cela relève du "sûrement malade", et dans le second du "probablement normal". Et tout cela fait d'excellents Français!

— Mais la frontière entre les deux est...

— ... floue, n'importe quel spécialiste te le confirmera. Allez, rentre chez toi reprendre ton entraînement, je te rappelle que le tournoi est dans quelques semaines. Et n'hésite pas à m'appeler. Même la nuit! Même pour un bouton de fièvre!»

Oui, malgré sa mémoire encombrée, que le Chateaubriand d'outre-tombe évoque comme la chose des esprits lourds rendus pesants par la surcharge de souvenirs, mais que l'institut des systèmes complexes de l'université Paris-XIII pouvait modéliser au moyen de calculs intensifs ou de fouilles de données massives, il allait s'entraîner encore et encore, approfondir d'anciennes parties d'échecs, les refaire *ad nauseam*, chercher, trouver, chercher encore, se tromper mais se tromper mieux, tout à sa nostalgie des états de grâce dans lesquels avaient flotté ses plus fameuses victoires, une nostalgie sans fin puisqu'il ne les retrouverait jamais, du moins jamais par la volonté.

Sans tenir compte des dénégations muettes de sa secrétaire, ignorant jusqu'à sa gestuelle pourtant éloquente en direction de la salle d'attente, le professeur prit le temps de raccompagner son ami à travers les couloirs, insigne privilège. Ils croisèrent un couple de jeunes solidement tenus par deux agents de sécurité de l'hôpital escortés de Jan. En les voyant, le professeur leva les bras au ciel sans s'arrêter, démonstration dont ce grand nerveux était coutumier.

Il relevait, dans le meilleur des cas, de la famille des nerveux dont Proust, neurologue du dimanche, parle dans son livre monstre, cette tribu magnifique et lamentable qui est le sel de la terre, ou quelque chose comme ça. Dans le pire des cas, un hystérique qui se retient. Ses amis convenaient que cela faisait partie de son charme. La séduction qu'il exerçait sur son entourage tenait aussi à cette capacité à se montrer à tout moment étourdissant y compris pour lui-même. Quand il était jeune et qu'il jouait aux échecs contre Gustave, il lui arrivait de détruire des pendules en tapant trop fort sur leur cadran. Son intelligence, sa réussite, son entregent faisaient pardonner son agitation. Heureusement son équipe assurait que, dès qu'il ajustait son masque et ses gants et que les battants du bloc opératoire se refermaient, il était un autre. À la manière de ces grands bafouilleurs que la présence d'un micro rend délicieusement éloquents, la seule vue des instruments de chirurgie déballés, vérifiés, étalés par l'instrumentiste avait la vertu de le calmer, du moins jusqu'à la fin de l'intervention, dût-elle durer toute la matinée.

Le Rothko de la salle d'attente aurait pu être un vrai plutôt qu'une reproduction. Sa réussite le lui aurait permis ; elle était éclatante tant en médecine que dans les affaires, car il était l'un des rares de sa profession à avoir su mener de front ses deux vocations.

Il le raccompagna jusqu'à la porte au bout du couloir des admissions. Sans sa blouse blanche, on aurait pu croire que le grand agité était le malade, et le grand calme, son médecin.

« En principe, c'est réglé.

— Vraiment ?

— Puisque je te le dis ! Tu as les bons paramètres. Jusqu'à ta prochaine visite de contrôle. À propos, Gus, j'ai essayé de te laisser un message hier soir et ce matin encore. Ta messagerie est prête à exploser. Ça t'arrive d'écouter ton téléphone ?

— Ça doit faire deux jours. Je vais voir ça. Mais tu sais, quand je me mets à analyser certaines parties un peu coriaces, je ferme les écoutilles, je m'isole, je m'enferme et je ne pense à rien d'autre tant que je n'en suis pas venu à bout.

— Je sais… Mon assistante m'a dit que tout à l'heure tu regardais rêveusement quelque chose par la fenêtre. C'était quoi au juste ? Car il n'y a que l'affreux bâtiment de l'orthopédie à voir, pas de quoi fantasmer…

— Le blanc.

— Quoi ? » lâcha-t-il, prêt à éclater de rire.

Ils s'embrassèrent en se quittant, comme les hommes avaient pris l'habitude de le faire depuis le début du siècle. Une accolade chaleureuse, appuyée et sonore.

Le professeur Klapman en profita pour se mêler aux internes à l'entrée du bâtiment de neurologie. L'un de ses patients, rouge et haletant, ralentit le pas en le voyant. Puis, ayant repris son souffle, il se dirigea vers lui.

« Bonjour, professeur, pardonnez mon retard mais...
c'est Gustave Meyer, le champion ?

— Perspicace.

— Il est malade ?

— Secret professionnel ! Mais enfin, vous auriez pu
le croiser dans la salle d'attente... Vous êtes amateur
d'échecs, monsieur Verdier ?

— Je l'admire. C'est quelqu'un, non ?

— Un vrai génie, humble, discret, maître de ses émotions, mon contraire quoi ! Et c'est mon ami depuis...,
dit-il en s'aidant d'un geste évasif qui exprimait une
certaine fierté.

— Mais c'est quel genre de joueur ?

— Autodidacte, peu porté sur la théorie, moins bos-
seur que beaucoup d'autres classés en dessous de lui.

— Mais alors ?

— La mémoire, monsieur Verdier, insista le professeur en appuyant son index sur le front du patient, la
mémoire ! Phénoménale ! Vous lui montrez une position qui a posé problème dans le passé, non seulement il la dénouera dans l'instant mais il vous dira qui
l'a jouée pour la première fois et en quelle année. Lui
seul peut donner une certaine grâce à une combinaison. Parfaitement, monsieur Verdier : de la grâce. »

Les deux hommes côte à côte, épatés par leurs
propres révélations, le regardaient s'éloigner, replié sur
lui-même, tant mentalement que physiquement, mais
quel grand maître international ne l'est pas ?

La chaussée était verglacée. De gros pans de neige tombaient des toits du bâtiment de neurologie. Le soleil, déjà puissant, allait se charger de faire fondre tout ça. Avisant les agents de sécurité, Gustave Meyer ne put s'empêcher de les questionner :

« C'était qui, ces jeunes que j'ai croisés, tout à l'heure, pas des malades tout de même ?

— Des toxicos. Ils squattent la nuit le local des archives. Le matin on retrouve des seringues partout tout au fond du couloir. Il y en a toujours un qui connaît le code, alors il faut en changer. On a beau les foutre dehors… Quelle plaie ! »

À peine eut-il franchi les grilles du Grand Hôpital que deux individus s'avancèrent vers lui. Deux hommes apparemment moyens en toutes choses, tous deux inconnus de lui, ce qui n'était en revanche pas leur cas.

« Monsieur Meyer ? Monsieur Gustave Meyer ? demanda le plus petit tout en empochant la photocopie d'un portrait qu'il tenait à la main.

— C'est moi.

— Je suis le capitaine Makhlouf et voici le lieutenant Lopez. Veuillez nous suivre, dit l'homme en montrant un insigne d'officier de police judiciaire.

— Mais pourquoi ?

— Pour être interrogé. »

Interloqué, Gustave Meyer n'eut même pas la réaction de résister. Il se laissait emporter par les deux hommes, chacun le tenant à un bras sans violence mais fermement, son corps plus que jamais en état d'apesanteur. Leur voiture banalisée stationnait en double file devant les grilles. Le plus gradé des deux s'installa à l'arrière à ses côtés tandis que l'autre prenait le volant.

« Mais qu'est-ce qui se passe ?

— Vous le saurez bien à temps. »

Que pouvait lui vouloir la police ? Il creusa en lui, revisita ses plus récents faits et gestes en accéléré, éplucha de mémoire son agenda en un frénétique feuilletage mental et convint même que l'on peut partager la responsabilité d'une faute, d'un délit, d'un crime, sans y avoir pris part, mais lesquels ?

La circulation était de plus en plus difficile sur le grand boulevard. Le ralenti s'imposait pour tous. Le conducteur, qui commençait à maugréer, cherchait à tromper son impatience.

« Et on vous soigne pour quoi à l'hôpital ?

— Épilepsie. »

Le policier le dévisagea dans son rétroviseur comme si le démon l'habitait. Une soudaine inquiétude plomba son regard. Épileptique... Le mot l'incommodait. Il sonnait gravement. Il concernait pourtant un pour cent de la population française. La maladie neurologique la plus fréquente après la migraine. Pas de quoi le considérer comme un cas.

« Et ça va ?

— Pas trop, justement. Et comme je suis pharmaco-résistant…

— Ça fait mal, ça ?

— Non, c'est… Le docteur s'est voulu rassurant, un ami, vous savez ce que c'est. Mais qu'est-ce qu'on me veut à la police, vous allez me le dire ? »

Le policier se concentrait sans un mot sur l'embouteillage. Soudain, Gustave Meyer fut pris de toux, de plus en plus violemment, jusqu'à s'étrangler.

« Ça va aller ?

— Franchement, je ne me sens pas très bien, j'ai la tête… »

Son regard était fixe, ses gestes soudainement répétitifs. Il massait nerveusement ses bras, comme pour en atténuer les sensations de fourmillement. Sa respiration devenait plus difficile. Dehors, la situation avait empiré. Pare-chocs contre pare-chocs. Le concert d'avertisseurs avait commencé, ce qui n'eut d'autre effet que d'augmenter la tension. Dans la voiture, les deux officiers de police perdaient patience. Le conducteur tapait sur le volant en serrant les dents, l'autre avait passé son bras et sa tête par la fenêtre et tapotait la porte de plus en plus bruyamment. Le silence régnant dans le véhicule, comme ils disaient, était de plus en plus pesant.

« Mais vous pouvez au moins me dire ce qu'on me reproche ?

— Monsieur Gustave Meyer, martela son voisin en se tournant vers lui, visiblement excédé par la situation, vous n'avez pas allumé votre portable depuis combien de temps ?

— Ça doit faire deux ou trois jours, je ne sais plus.

— Je vois… Ça vous dérange si j'en grille une ?

— Fumez, je vous en prie, ça me rappellera le vingtième siècle. »

Le conducteur l'interpella à travers le rétroviseur :

« Vous savez la différence entre Dieu et un chirurgien ? C'est que Dieu, lui, ne se prend pas pour un chirurgien ! annonça-t-il, un large sourire aux lèvres, mais sa devinette n'ayant pas eu l'effet escompté, il enchaîna aussitôt : Vous n'allez tout de même pas vous prétendre innocent, n'est-ce pas ?

— De l'air, il me faut juste un peu d'air s'il vous plaît, demanda Gustave Meyer.

— Votre affaire en est encore au stade où tout espoir est permis… Putain, je n'en peux plus ! hurla le conducteur en cognant le volant avant de s'emparer d'un micro et de faire grésiller une fréquence. On ne peut pas accéder au couloir des taxis à droite, et celui des vélos à gauche est trop étroit pour la bagnole, comment on sort de là, bordel ! »

N'y tenant plus, son collègue s'extirpa de la voiture, saisit le gyrophare dissimulé sous la banquette avant, le posa sur le toit.

«Vas-y, Lopez! Et en musique, s'il te plaît! *Ré-la*! *ré-la*! *ré-la*! Allez, on se bouge!» hurlait-il à la cantonade sans que le deux-tons ne produise d'autre effet que de faire encore monter la tension.

Le capitaine était debout dans la rue, la main sur la porte arrière fermée de la voiture. Le lieutenant était sorti à son tour, tenant le volant du bout des doigts à travers la fenêtre, puis il s'accouda au toit et scruta au loin pour mieux évaluer l'ampleur de la catastrophe. Des cyclistes défilaient fièrement dans leur couloir, certains manifestant une joie indécente qui narguait les automobilistes réduits à l'impuissance; des scooters se mêlaient parfois à eux. Gustave Meyer, de plus en plus pâle, était resté seul dans la voiture. De temps en temps, le capitaine jetait un œil à l'intérieur.

«Ça va?

— Pas trop…, fit Meyer, pris de nausée, les deux mains devant la bouche.

— Attendez, hé là, si vous devez gerber, il vaut mieux ouvrir la fenêtre, allez-y…»

Dans la confusion de ses gestes, sa crispation menaçant de dégénérer en convulsion, il s'exécuta tant bien que mal, mais la vitre restait désespérément bloquée à mi-chemin de sa course, laissant un espace trop étroit pour sortir la tête. Il appela les deux policiers à l'aide, mais l'un devant était trop occupé à engueuler les conducteurs alentour, et ses appels étaient inaccessibles à l'autre derrière tant la sirène était puissante. Alors Meyer se mit à taper à la diable sur la vitre et sur la portière dans le fol espoir de débloquer le système.

D'un coup d'un seul, mais d'un coup sec, sa portière s'ouvrit sur le couloir de gauche et dans l'instant fut percutée par une moto qui roulait à vive allure mais que nul n'aurait pu entendre. Un mélange atroce de carcasses métalliques, de machines, de branches d'arbres et d'os broyés en un instant. Le fracas ayant été celui d'une explosion à la charge exceptionnelle, de loin on avait dû croire à un attentat. Arrachée sous le choc, la portière propulsa dans son élan le lieutenant Lopez contre un pilier du métro aérien à quelques dizaines de mètres de là. Son pauvre corps s'y était écrasé, ses membres disloqués, avant de retomber au sol tel un pantin désarticulé. Son visage n'avait plus forme humaine. Une bouillie de sang et de chair. L'empreinte de sa silhouette s'était décalquée sur le béton. Un curieux liquide suintait. Le sol était maculé de rouge. L'horreur.

La moto avait fait plusieurs embardées avant de retomber lourdement bien plus loin, de l'autre côté du boulevard, sur le toit d'une voiture en stationnement. Le motard, lui, avait basculé au-dessus de quelques véhicules puis glissé de tout son long sur la chaussée avant d'être stoppé net par un feu étrangement passé au rouge à cet instant même, son corps s'enroulant autour du poteau.

À la déflagration assourdissante produite par l'accident succéda un silence d'autant plus impressionnant que, si le gyrophare continuait bien de lancer ses éclairs bleus, la sirène s'était tue soudain, elle aussi paralysée par la situation. Même les klaxons paraissaient respecter une très longue minute de silence. Soudain le boulevard s'était tu. Tous semblaient prostrés, la bouche ouverte, incapables de se sortir de la sidération où les avait plongés la violence du choc.

Dès qu'il se reprit, le capitaine Makhlouf fut le premier à se rendre auprès de son collègue gisant. Il n'osait le toucher. Une passante s'approcha. Elle poussa un cri si puissant qu'il en parut inhumain. Alors l'attroupement se fit autour d'eux. Un jeune homme, qui se présenta comme un interne du service des urgences au Grand Hôpital, s'affaira aussitôt sur les corps. Des agents de la circulation arrivèrent en courant, suivis par des ambulanciers du Samu qui avaient dû abandonner leur véhicule dans une rue adjacente.

Dès que le capitaine Makhlouf eut retrouvé ses esprits, avant même de téléphoner à ses supérieurs, il rejoignit sa voiture à la hâte. À l'arrière, quelques fines traces de vomissure sur la banquette attestaient de la présence récente d'un homme. Le policier se redressa, monta sur le marchepied, lança un regard panoramique ; puis, effondré, il s'assit sur le rebord du trottoir et appela la PJ :

« Gustave Meyer a disparu. »

Nul ne l'avait vu courir. Il est vrai qu'il ne s'était pas enfui : il était juste parti en titubant, sonné par l'accident. Tout s'était déroulé sous ses yeux. L'atmosphère ouatait les pas. Les gens dans la rue avaient l'air de traîner. On les eût dits en apesanteur, incapables de se sortir de leur week-end, essayant vainement d'endimancher leur lundi. Il s'engouffra dans la première station. Le métro n'était pas bondé à cette heure de la journée. La ligne 5 suspendait son vol entre les heures de pointe de Place d'Italie à Bobigny – Pablo-Picasso. À peine remis du choc, Meyer observa les voyageurs. Tous portaient une oreillette ou un casque. Tous sauf lui. Il aurait bien demandé son chemin mais certains dodelinaient de la tête, d'autres semblaient absorbés, quelques-uns souriaient, il en était même qui parlaient tout seuls, comment oser les déranger ? La musique leur permettait de mieux échapper à la conscience malheureuse en évitant le présent. Musique ou pas, sans le savoir, ils menaient une vie algorithmique, entièrement réglée par l'interaction des machines entre elles. Chacun de leurs gestes les rendait encore plus traçables ; plus ils se croyaient libres d'envoyer des messages, plus ils aliénaient leur libre arbitre à leur insu.

Les couloirs se ressemblaient, les correspondances paraissaient interminables, surtout à République. Soudain, un message de service retentit :

«Un agent de sécurité est demandé d'urgence au contrôle. Je répète…»

Meyer prit peur et pressa le pas. Lorsqu'il se retourna, il aperçut tout au bout deux policiers du métro qui couraient à petites foulées dans sa direction. Il ne lui en fallut pas davantage pour fuir, bousculant des voyageurs, éparpillant les dossiers qu'une jeune femme tenait sous son bras, s'arrêtant un instant pour se confondre en excuses et l'aider à ramasser, repartant aussitôt. Sa course était si dispersée, elle causait tant de dégâts sur son passage, que la rumeur le précédait et que certains, prévenus par le bruit et le grand désordre de ses gestes, se rangeaient contre les murs pour ne pas le freiner, ou pour n'être pas heurtés, allez savoir.

Un étrange objet eut raison de sa fuite. Un tronc d'eucalyptus d'un mètre vingt de long environ, qui devait bien faire dix centimètres de diamètre, pour le moins insolite dans un tel lieu. Une jeune fille assise en tailleur à même le sol, adossée au mur, soufflait dans la chose en produisant des sonorités venues du fond des âges ; à elles seules elles parvenaient à donner au sous-sol une atmosphère de caverne, jusqu'à conférer aux affiches publicitaires un peu du mystère de l'art pariétal ; les voyageurs attroupés, dont le noyau central ne cessait de grossir, paraissaient envoûtés par les variations qu'elle parvenait à tirer du bourdon originel. Ce qui vacillait en eux devait produire un effet si puissant que cela touchait aux racines mêmes de la vie.

La musicienne s'était postée à un carrefour de correspondances, si bien qu'il lui était impossible de la voir. En débouchant devant elle à toutes jambes, il ne put s'arrêter ; le cri d'effroi lâché d'un même souffle par la foule suffit à le prévenir ; d'instinct, il sauta pardessus l'instrument comme un athlète le ferait d'une haie, suscitant des applaudissements de soulagement. Il s'arrêta enfin, ne put réprimer un rire nerveux et se mêla à ces mélomanes si accueillants.

À la fin du morceau, comme nul ne semblait pressé de remercier autrement que par un sourire alors que tous semblaient captivés par ce son venu d'ailleurs, il s'empara du chapeau tressé devant l'instrument et fit la quête ; la situation était si inattendue, et son geste si insistant, que les pièces affluèrent ; un discret billet y fit même un vol plané. De crainte de voir arriver ses deux poursuivants, il vida le contenu du chapeau dans le sac ethnique de la jeune fille, s'en coiffa et s'assit par terre à côté d'elle.

« Pardon, j'ai failli provoquer une catastrophe tout à l'heure… Mais qu'est-ce que c'est au juste ?

— Un didgeridoo. On fait vibrer les lèvres comme pour un cor de chasse. Au fond c'est une trompe en bois, sauf que les Aborigènes du nord de l'Australie en jouent depuis la nuit des temps.

— Incroyable, les sons que vous arrivez à en sortir.

— Vous voulez essayer ?

— Non, merci, sans façon. C'était juste... Excusez-moi, il faut que j'y aille. »

Gustave Meyer se leva prestement, lui rendit le chapeau et reprit sa course en direction de Pointe du Lac tandis qu'elle soufflait déjà dans l'instrument. Arrivé à mi-parcours du couloir empli d'une mélodie entraînante, il se retourna et, tout en marchant à reculons, mit ses mains en porte-voix :

« Et ça, c'est aborigène ?

— Pas du tout ! » cria-t-elle, mais le nom qu'elle lança était déjà couvert par les roulements du métro et le brouhaha des voyageurs. C'est à peine s'il perçut quelque chose comme « manteau » et « nina »...

Le métro est un gouffre, et ses tunnels autant de bouches d'ombre. La traque avait cessé. Meyer était assis sur une banquette dans un wagon choisi au hasard. Des grésillements s'échappaient des oreillettes qui le cernaient mais lui avait sa musique intérieure, cet air qui ne le quittait pas depuis tout à l'heure. Lui qui avait toujours écouté la musique comme s'il était à la recherche de quelque chose d'inouï, de dissimulé derrière les sons, il était comblé. Mon Dieu, didgeridoo ! Idéal pour un mot de passe ou un nom de code. Nul n'y penserait, pas même un champion de scrabble.

La situation semblait apaisée ; l'intensité des événements qu'il venait de vivre avait éclipsé ses maux, et lui se demandait encore pourquoi ; il n'arrivait pas à comprendre pourquoi la police en avait après lui ; d'autres se seraient rendus spontanément à la justice pour en avoir le cœur net. Pas lui, pas aujourd'hui.

Un joueur d'échecs, c'est quelqu'un qui se demande toujours pourquoi, après avoir enregistré le dernier mouvement de son adversaire et avant d'avancer une pièce.

Il n'aurait pas pu rester dans la voiture des policiers après le drame. Et là, pas de pourquoi. *Hier ist kein warum.* Si on ne peut pas, on ne peut pas, et en plus c'est impossible. Il avait entendu un jour un torero dire cela à la radio. Le mot lui était resté. Simple, évident, mais si vrai.

Il s'était juste enfui par instinct et non par culpabilité. Il était parti parce que les officiers de police ne répondaient pas à ses pourquoi, voilà ce qu'il dirait. Sans en rajouter.

Un journal gratuit traînait sur la banquette. Il le feuilleta. À la page des faits divers, il était question d'un accident de voiture qui avait eu lieu l'avant-veille au soir sur les berges de la Seine à la hauteur du Pont-Neuf. Une voiture de marque américaine, conduite à vive allure par une femme, avait brusquement freiné sans raison apparente. Le carambolage qui s'était ensuivi avait propulsé la voiture dans le fleuve. L'identité de la victime n'était pas précisée par égard pour la famille probablement, mais son métier et ses initiales y figuraient, tout de même.

Gustave Meyer posa le journal. Un voyageur s'en empara aussitôt, à croire que les gratuits n'avaient pas de prix en temps de crise. Ruminant ce qu'il venait d'apprendre, intrigué, Meyer demanda à la personne de lui rendre le quotidien.

«Juste pour vérifier un détail.»

La marque de la voiture. Puis il sortit son téléphone portable de sa poche et, non sans inquiétude, se mit à écouter les messages. Il en élimina plusieurs jusqu'à ce qu'il parvienne à un appel de sa fille, en pleine nuit, réitéré ensuite à plusieurs reprises.

«Papa, rappelle-moi, je crois qu'il est arrivé quelque chose...» «C'est moi, où es-tu? Si tu travailles, décroche quand même!» «C'est encore moi, je t'en supplie, rappelle, il y a eu un accident.» «On te cherche partout, papa...»

L'instant d'après, il émergeait à l'air libre, en état de méditation vide. Haletant, aveuglé par la brume de son propre souffle, portant concentré en lui-même le fardeau de sa perpétuelle angoisse telle une bête dans la jungle, il vacilla. On eût dit qu'il avait perdu tout point d'appui.

Alors sa vie bascula dans le noir.

2

«Appelez-moi Nina, c'est tout.»

Tout le monde l'appelait Nina. Même ses subordonnés. C'est elle qui l'exigeait. On aurait pu imaginer plus d'égards, car il n'était pas question de déférence ou de respect à ce niveau-là dans leur monde, la chose était entendue. Son grade de commandant, le plus élevé chez les officiers de police, l'y autorisait. Mais elle l'aurait mal pris, elle aurait pu croire que l'on se payait sa tête si on lui donnait du «commandant Rocher». Pas son genre et Dieu sait que son genre ne passait pas inaperçu, là comme ailleurs.

Pas mauvais genre, juste genre à part.

C'était Nina, universellement redoutée, jalousée, flattée, critiquée, admirée à la PJ. En toutes saisons jour et nuit, un Perfecto by Schott cintré et bardé de zips qu'elle portait avec naturel comme une veste de ville, un jean si moulant qu'elle devait certainement l'enfiler le matin en s'aidant d'un chausse-pied, un tee-shirt à trois boutons et manches longues, des baskets. Son seul uniforme. Assez chic au fond car il était entièrement noir de haut en bas et du sol au plafond. Pas un noir imposé par le deuil mais un noir revendiqué comme une couleur. Son drapeau noir jamais dans sa poche. Ses bijoux ethniques tressés n'en ressortaient que mieux. Mais ceux qui la connaissaient bien, intimement même, il y en avait quelques-uns, du moins il y en avait eu car ils n'avaient pas fait long feu à ses côtés, savaient que ce noir n'obéissait pas, enfin pas en priorité, au désir de mieux mettre en valeur ses cheveux blonds noués à la hâte en queue-de-cheval. Il était avant tout gouverné par un souci pratique car Nina était de ces gens qui mangent tous les jours la même chose et s'habillent le plus souvent en noir pour mieux se concentrer sur les décisions essentielles au lieu de se perdre dans le superflu. Son langage s'en faisait l'écho. Non qu'il fût noir. Juste rapide et efficace. Pour ne pas perdre de temps, elle ignorait les négations.

Le contraire d'une femme au naturel affecté. Une nature mais une vraie. Avec cela méthodique, maniaque, rigoureuse, ce que ses détracteurs résumaient différemment : psychorigide, quasi autiste, solitaire.

« M'emmerdez pas avec votre parité ! s'énervait-elle dans son téléphone, à peine isolée dans un coin de la pièce. Vous connaissez le masculin de "salope" ? "Don Juan". Alors *basta così* ! »

Elle était comme ça, Nina. Du genre à rouler ses cigarettes. Sans oublier sa manie de répondre aussitôt aux questions qu'elle faisait semblant de poser ; à tout prendre, c'était moins exaspérant que tous ces angoissés qui ponctuent une phrase sur deux d'un « D'accord ? » dont l'absence exceptionnelle en devient inquiétante pour leur équilibre mental.

Emma Meyer n'avait pas d'opinion. Vingt minutes avant, elle ignorait son existence. Pour autant, elle ne se sentait pas de l'appeler Nina. Trop familier. Inopportun en la circonstance. Aussi décida-t-elle de ne pas l'appeler. La conversation le permet en France, pas en Angleterre où l'on ne peut s'empêcher de nommer l'autre à la fin de chaque phrase comme si on avait un doute permanent sur son identité.

« C'est donc ici chez lui, sa maison, enfin, son appartement.

— Son terrier, c'est ainsi qu'il l'appelait, reprit sa fille.

— Vous parlez déjà de lui au passé ? »

Emma en fut plus qu'embarrassée : son père avait disparu mais sa mère était morte, et il y aurait une certaine honte, en ces moments-là, à avouer qu'il lui manquait davantage, que son soutien sur lequel elle avait toujours compté lui faisait soudainement défaut et pour cause, qu'elle regrettait déjà de ne pas lui avoir assez dit à quel point il demeurait son point d'appui...

« Là qu'il se réfugie pour se protéger du monde, reprit-elle. Mais ne cherchez pas de fausse porte donnant sur un labyrinthe. Il y en a bien un, mais il l'a emporté.

— Où ça ?

— Vous n'y pénétrerez jamais : il est en lui... Chuuuut, fit-elle en s'accompagnant d'un grand geste circulaire qui immobilisa les policiers tant son injonction en imposait. Écoutez... Vous avez entendu ?

— Quoi ?

— Le silence. Absolu. C'est tout mon père. La seule chose qui lui a posé problème ici, c'est un chuintement, de temps en temps. Il n'a jamais pu le localiser.

— Nous, c'est pas un chuintement qu'on essaie de localiser, vous voyez ? »

Les experts de la police scientifique s'affairaient un peu partout. Leurs mains gantées de latex, ils tripotaient tout, dérangeaient les livres et bousculaient les meubles, prélevaient un échantillon de temps à autre. Emma Meyer les observait non sans méfiance. Son degré d'exaspération augmentait à proportion de leur curiosité. Les voilà qui tripotaient une photo encadrée sur la commode, une image de vacances en Italie réunissant le père et la fille ; ils auraient beau regarder, non seulement ils ne sauraient rien de l'intensité de leur relation, mais tout leur échapperait de l'homme qu'ils recherchaient, son côté distrait, rêveur, absent, silencieux au-delà du supportable, capable de jouer encore aux échecs lorsqu'il était à table mais dans sa tête, concentré sur le jeu intérieur jusqu'à en oublier de manger, quelqu'un qui s'était toujours suffi à lui-même, au fond. Taiseux non par sauvagerie ni par timidité mais par crainte de galvauder les mots qui lui importaient, car à trop les répéter on ne sait plus ce qu'ils veulent dire. Silencieux pour éviter que la banalité de ce qu'il pourrait dire n'en émousse la vérité.

Ils inspectaient les deux pans de bibliothèque qui se faisaient face. Nina n'aurait jamais imaginé qu'il s'y trouvait tout entier. Ses livres le révélaient pour qui savait les lire. Ce qui de sa mémoire ne passait pas par les rituels passait par le récit. Les policiers notaient tout. Un vrai relevé topographique. Dans ces moments-là, les gens craignent tellement de laisser un détail dans l'ombre qu'ils ne s'attachent qu'à ce qu'ils voient et non aux absences. L'une pourtant aurait dû leur sauter aux yeux : il n'y avait pas d'échiquier chez l'un des plus grands joueurs d'échecs au monde. Pas un seul. Les problèmes, il avait l'habitude de se colleter avec sur le papier ou en ligne. Mais il ne voulait rien voir chez lui qui ressemblât à un plateau divisé en soixante-quatre cases. Une vraie phobie qu'il n'accepta que le jour où il apprit que le concertiste Alexandre Tharaud n'avait pas de piano chez lui.

« Vous auriez un signe distinctif pour mes gars ?

— Le plissé des paupières quand il réfléchit.

— Vous foutez pas de moi.

— Mon père, c'est quelqu'un de bon, vous voyez ?

— Pas trop.

— C'est normal. La bonté, on ne la remarque que lorsqu'elle se manifeste, alors que la vraie bonté, la sienne, est de tous les moments. »

Un enquêteur vint chuchoter à l'oreille de Nina. Elle revint vers la jeune femme.

« Pas un peu monomaniaque ?

— Prenez-le comme vous voulez, c'est mon père.

— Si j'ai bien compris, à gauche la Bible et tout ce qui s'y rapporte, à droite Shakespeare et tout ce qui le concerne.

— Il dit que tout est déjà dans la Bible et que ce qui ne s'y trouve pas est dans Shakespeare. Les gens d'un seul livre sont toujours plus intolérants.

— Fait froid ici, dit Nina en se frottant les bras.

— Mon père prétend qu'on pense mieux dans le froid. La chaleur engourdit, le froid secoue. Les muscles comme l'esprit. Essayez avec la douche et vous verrez. »

Sa sécheresse de ton reflétait son mal-être. Elle n'avait jamais mis les pieds dans l'appartement de son père en son absence. Il lui en avait bien confié la clé, par sécurité, mais la question ne s'était jamais posée. Il le savait, elle ne se serait jamais permis la moindre indiscrétion. Sa fille lui ressemblait à bien des égards. L'embarras la gagnait.

« Problème ? s'enquit Nina.

— On va finir par croire qu'un meurtre s'est déroulé dans cet appartement !

— Qui sait…

— Comment ça : qui sait ? Vous avez retrouvé un cadavre sous le tapis ?

— Un meurtre a pu être commis *à partir* de cet appartement. »

Les deux femmes se trouvaient maintenant face à face de part et d'autre d'une petite table. Un large écran d'ordinateur les séparait. Nina n'eut qu'à esquisser un signe du menton pour que les policiers chargés de la perquisition embarquent l'appareil et toutes les machines qui lui étaient reliées.

« Va bien falloir qu'il crache, celui-là ! Je vous demande pas si vous avez le mot de passe.

— Vous faites bien. De toute façon, même si mon père me l'avait confié, je ne vous l'aurais pas donné », trancha la jeune femme.

Un enquêteur les observait à la dérobée du fond de la pièce. Tout en répondant discrètement à son téléphone, il ne put réprimer un sourire au spectacle de ces deux femmes qu'une quinzaine d'années séparait, et que leur envie de se claquer mutuellement démangeait de toute évidence. Une quinzaine d'années pas plus, mais c'est déjà presque une génération. Leur affrontement à peine larvé plombait l'atmosphère.

« Ça alors ! dit-il, ce qui les fit tous se retourner vers lui comme s'il venait de trouver dix kilos d'héroïne dissimulés derrière des traductions des *Joyeuses commères de Windsor*. Cet homme n'a pas de bureau. »

C'est peu dire que sa révélation tomba à plat. Au moins témoignait-elle de ce que le cerveau ne peut poursuivre plus de deux buts à la fois. Un haussement simultané des épaules et des sourcils de Nina avait suffi à renvoyer son éclair de génie dans le manuel du parfait lieutenant dont il n'aurait jamais dû sortir. Comme si un être, dont la vie se déroulait pour l'essentiel dans l'espace clos d'un échiquier, avait besoin d'un bureau !...

Emma Meyer ouvrit les portes-fenêtres donnant sur le balcon. Elle tira de longues bouffées de sa cigarette tout en observant, songeuse, des vieux qui bavardaient sur un banc de la place Charles-Dullin. Des réminiscences lui revenaient de la complicité qui la liait à son père. Certains le disaient sans âge sans que l'on sût s'il s'agissait d'un compliment ou d'une vacherie. Aux yeux de sa fille, il restait jeune à jamais.

Tout remontait soudain, leurs dîners dans la douceur des soirs d'été, lorsque le jour jette encore ses dernières lueurs et que les spectateurs du théâtre de l'Atelier en contrebas commencent à peine à sortir, abattus ou enchantés selon les saisons ; elle se souvenait de ses commentaires sur leur état supposé et de leurs rires à tous les deux ; elle en avait déjà la nostalgie, le regret de ces moments lui serrait la gorge et elle s'en voulait de n'être pas plutôt accaparée par la mort tragique de sa mère. Depuis deux jours, elle croyait être passée par toutes les nuances de la peine, de la tristesse, du chagrin, et elle savait qu'il était encore trop tôt pour éprouver la douleur de l'absence ; mais à cet instant précis, c'était plutôt le souvenir radieux de son père qui l'emportait, un sentiment incontrôlable, la faute à l'appartement, au balcon, à son angoisse quant à son sort, et aux questions insidieuses de cette femme, se murmurait-elle comme pour faire taire sa culpabilité.

Un détail la chiffonnait. L'esprit d'escalier probablement. Elle se retourna vers la pièce et ne put refouler un cri de surprise, la bouche ouverte telle une carpe stupéfaite, en se trouvant nez à nez avec Nina, postée juste derrière pour humer sans fumer, leurs corps se frôlant.

« Vous étiez là ! se défendit-elle.

— Quelque chose vous revient en mémoire ?

— Tout à l'heure, vous avez bien dit "meurtre". Mais c'est un accident, non ?

— L'enquête l'établira, concéda Nina en se mordant les lèvres.

— Vous en dites trop ou pas assez. De toute façon, si vous voulez avancer avec moi, il faudra coopérer.

— Hé là ! On inverse pas les rôles. Ce serait pas à vous de coopérer plutôt ? »

Emma Meyer paraissait être le négatif de Nina : petite et menue mais le corps ferme et bien proportionné, un teint de pruneau frais encadrant un regard bleu, cheveux d'un noir de jais coupés à la règle, mèches longues devant et très courtes derrière, rouge à lèvres bordeaux ; la blonde était du genre à freiner d'un coup sec pour s'extasier sur la beauté d'un paysage, la brune pas du tout ; la grande prête à s'ouvrir les veines sur le drapeau pour être sûre que la troisième bande reste bien rouge quand la petite hésiterait plutôt ; Nina était une femme de terrain, tandis qu'Emma passait l'essentiel de son existence devant des écrans ; mais ni l'une ni l'autre n'étaient du genre à se laisser emmerder. Elles s'affrontaient sans se taper sous le regard à la dérobée, d'une ironie contenue, des autres policiers qui n'en pouvaient mais ; ils esquissaient des gestes d'impuissance, écrasés par l'autorité muette de leur chef dont la seule présence suffisait pour leur en imposer.

Son portable ayant émis un signal lumineux, Nina regarda sa montre.

« Faut y aller. Vous êtes en voiture ?

— Je circule en métro.

— Savez monter à cheval ?

— Euh… oui, fit Emma Meyer, pas très rassurée.

— Alors Bonnie vous fera pas peur. »

En franchissant le seuil de l'appartement suivie de la jeune femme, sans même se retourner, elle tendit une main en l'air et lança à son adjoint un « Casquessssss ! » des plus sifflants puis un « IML ! » des plus mystérieux. L'instant d'après, trois étages plus bas, Nina coiffait le sien, parfaite réplique de sa couleur de cheveux, faisait chauffer le moteur, laissait à peine le temps à sa passagère de s'installer à l'arrière, hurlait un «Pas obligée de me tenir par la taille!» sans ambiguïté et démarrait en trombe au guidon de sa Triumph Bonneville T100 au réservoir bicolore ivoire et vert anglais du meilleur effet.

Lorsque la moto ralentit à hauteur du quai de la Rapée et que se profilèrent les briques rouges d'un grand bâtiment rectangulaire, Emma Meyer comprit qu'elle allait subir une épreuve pénible que son père aurait dû affronter s'il ne s'était pas volatilisé, enlevé d'entre les hommes tel Moïse dans un baiser divin, à croire qu'une nuée s'était posée sur lui pour le faire disparaître.

Nina poussa les portes marquées «Accueil des familles» sans s'arrêter; elle avait manifestement ses habitudes à l'«IML», l'Institut médico-légal, et saluait les employés comme de vieilles connaissances. Elle la guida dans différentes pièces jusqu'à la salle des reconnaissances jouxtant la salle d'autopsie.

Nina observait ses réactions du coin de l'œil sans dire un mot. Elle guettait ses émotions, attendait la faille, espérait la chute pour mieux la ramasser. Mais la chute ne venait pas. La fille de Marie et Gustave Meyer se tiendrait comme elle s'était toujours tenue en toutes circonstances. Jusqu'à se défendre d'abonder dans son sens. Une simple question d'éducation.

Pas d'ostentation, pas d'effusion. Toujours conserver sa dignité en public. Certes, elle perdait sa mère pour la première fois et on aurait pu croire que le caractère exceptionnel de la situation la ferait flancher, mais non. Elle se lâcherait chez elle probablement, sans témoin, hors de vue.

Les gestes du médecin légiste paraissaient d'une lenteur calculée, qu'il sortît le corps du frigo, qu'il l'amenât sur un chariot ou qu'il fît descendre le zip de la housse. Cherchait-il à la ménager ou sa conception du temps obéissait-elle à des paramètres qui leur échappaient?

L'identification du corps ne prit qu'un instant. Il était en bon état, le visage et les membres sans dommages apparents ni restauration tégumentaire excessive. Le choc de l'accident avait été terrible; les airbags et la ceinture de sécurité avaient bien protégé la conductrice; mais en la protégeant, ils l'avaient incarcérée dans l'habitacle.

Marie Meyer s'était noyée.

Bouleversée mais trop pudique pour s'abandonner, sa fille retint ses larmes. Elle la regarda longuement, déposa un baiser sur son front, peut-être le plus doux et le plus tendre qu'elle eût jamais donné car elle prenait à peine conscience qu'il n'y en aurait plus jamais d'autres, et se dirigea vers le couloir la tête baissée. Le visage de sa mère avait agi comme un miroir; elle s'y était vue, morte. Accoudée à une fenêtre, elle observa en contrebas deux hommes préparer un convoi funéraire dans la cour. Puis elle s'en alla. Nina lui emboîta le pas aussitôt pour l'entraîner dans un autre bâtiment.

«J'aimerais emporter les vêtements de ma mère.

— Plus tard, ils sont encore sous scellés, la procédure l'exige.»

Elles se retrouvèrent dans la bibliothèque de l'institut, grande pièce tout en longueur ceinturée de livres et de documents exposés dans des meubles vitrines. Nina, qui faisait les cent pas nerveusement sur le parquet en point de Hongrie, s'interrompit pour s'asseoir à l'extrémité arrondie de l'immense table de conférence au centre de la pièce et invita la jeune femme à en faire autant en face d'elle.

«Alors voilà, ma petite, dit-elle à bas bruit, comme si le chuchotement était imposé par le règlement. Ça se présente comme ça : la voiture de votre mère a brusquement freiné sur les berges mais c'est pas elle qui a appuyé sur la pédale.

— Quelqu'un l'accompagnait?»

L'effet de surprise l'avait fait reculer d'un coup contre le dossier de sa chaise.

«Quelqu'un mais qui était pas à côté d'elle. C'est lui qui a freiné brusquement. Ça s'est fait à distance. Je sais, c'est bizarre mais on peut. Un défaut de fabrication. Plusieurs marques sont concernées. Le constructeur avait bien commencé à envoyer une clé USB à ses clients pour mettre à jour le logiciel, mais votre mère l'avait pas vue, ou pas reçue, on est en train de vérifier.

— Vous voulez dire que...

— Un hacker s'est infiltré dans Uconnect, son ordinateur embarqué. Les bagnoles aujourd'hui, c'est bourré de contrôleurs électroniques et informatiques. Celle de votre mère a été piratée.

— Vous avez une idée ?

— Pas vraiment. On sait juste que pour exercer un tel contrôle à distance, par une connexion Bluetooth ou autre, il faut selon les marques soit connaître l'adresse IP du véhicule, soit y avoir eu un accès physique avant, toucher sa bille en informatique et avoir intérêt à ce que cet accident se produise.

— Et ?

— Votre père correspond au profil. »

Emma Meyer se leva d'un bond, renversant sa chaise. Elle se donna une contenance en faisant mine de s'intéresser à une collection de crânes exposée dans une vitrine, puis en levant les yeux vers la coursive métallique ceinturant la bibliothèque, revint à la table et redressa la chaise en secouant la tête.

« Non, ça ne va pas, c'est n'importe quoi ça ! »

Elle secouait la tête en regardant fixement devant elle et en se tordant les mains.

« Je le connais, mon père.

— Vous m'avez l'air aussi paumée que si vous cherchiez l'ombre d'un inconnu décidé à garder ses secrets. »

Nina sortit un calepin électronique d'une des nombreuses poches zippées de son Perfecto, le manipula durant quelques secondes :

« Il a pas eu des problèmes il y a quelques années dans une affaire de hacking ?

— Mais c'était sans commune mesure ! se récria la jeune femme. Il en voulait à la FIDE, la Fédération internationale des échecs, qu'il accusait de corruption. Il ne supportait pas l'image que donnait de son art le président d'alors... vous savez bien, le Moldo-Valaque... »

Nina n'y entendait rien. Le monde des échecs lui était totalement étranger, à commencer par les règles du jeu. Emma dut expliquer que « Moldo-Valaque » n'était qu'un terme générique, un surnom entre eux pour désigner Kirsan Ilioumjinov, un dingue affairiste, un Kalmouk en fait, richissime industriel et longtemps président de la Kalmoukie, vous connaissez bien sûr, il prétendait même avoir été kidnappé dans son appartement de Moscou par des extraterrestres qui l'auraient emmené toute la nuit dans leur vaisseau pour un échange d'idées, son expression même, de toute façon sa disparition n'aurait guère modifié le classement Elo car c'était un joueur médiocre, seulement voilà il avait le bras long, ne s'était pas contenté de rendre l'enseignement des échecs obligatoire dans les écoles kalmoukes, il avait arrosé les notables des échecs un peu partout, s'était fait élire et réélire...

«Alors mon père avait fichu la pagaille à distance dans le site de la Fédération internationale, reprit Emma, plus personne ne s'y retrouvait dans les classements Elo, un coup spectaculaire juste pour alerter l'opinion publique. D'ailleurs son copain Robert et moi, on l'avait aidé. Et puis il avait reconnu la chose et s'en était expliqué, excusé, enfin presque. Et comme il avait visé juste, la fédération n'avait pas donné suite. S'il avait voulu, avec ses connaissances en informatique, il aurait pu monter une grosse boîte, comme son ami Klapman...»

Au ton dont elle usait, à la moue que sa bouche esquissait, au geste de la main qu'elle réprima aussitôt amorcé, Nina comprit qu'elle ne tenait pas cet homme en haute estime. L'explication ne tarda pas : trop affairiste et trop entreprenant pour un neurochirurgien, du moins tel qu'elle se l'imaginait ; pas un tour de table dans la création d'un business de technosanté, pas la moindre incubation de start-up médicale où l'on ne retrouvait pas son nom. De toute façon, elle ne l'avait jamais senti, l'ami de toujours. À travers les confidences de son père, elle avait appris leurs différends d'autrefois, la jalousie qu'il développait vis-à-vis de l'intelligence et des facilités de Gustave Meyer, sa désinvolture pour la réussite matérielle, sa notoriété dont il n'était même pas l'artisan, un type tellement

58

brillant que même ses lacunes l'étaient ; dans leur jeunesse déjà, aux examens, il l'humiliait dès qu'il pouvait le prendre en défaut. Alors, oui, s'il avait voulu, Meyer serait très riche et très puissant, seulement voilà, ça ne l'intéressait pas.

« Vous croyez vraiment ?

— J'ai été analyste-programmeur et maintenant je suis associée dans une boîte d'édition de logiciels. Quand je vois le niveau des "experts" qui m'entourent, mon père, à côté... D'ailleurs...

— D'ailleurs ? »

La jeune femme resta pensive un long moment ; cela la préoccupait tellement qu'elle cessa soudain de triturer l'élastique qu'elle avait entre deux doigts depuis le début de leur conversation. Nina en profita pour s'absenter un instant. On en sut très vite le motif, quand le photographe de l'identité judiciaire voulut lui aussi se rendre aux toilettes : Nina laissait toujours la porte ouverte, comme le font les garçons, allez savoir pourquoi, ses adjoints avaient parié entre eux qu'un jour on la surprendrait pissant debout. L'incident suscita un cri d'étonnement du photographe et des rires des policiers.

« C'est ce qui avait séduit ma mère quand ils se sont connus, fit Emma, songeuse, tandis que Nina reprenait sa place en face d'elle sur un fond de bruit de chasse d'eau. Et même ce qui l'a attendrie, c'est elle qui me l'a raconté. Mais progressivement, cette absence d'ambition matérielle l'a révoltée et même exaspérée. De l'ambition, il n'en avait que pour gagner des championnats. Seuls les échecs le poussaient à surmonter sa condition. De toute façon, l'argent dans le couple, c'était elle depuis le début. Elle a hérité très jeune. De quoi s'abstenir de travailler pendant deux générations. Ce qui ne l'a pas empêchée d'étudier, d'être brillamment reçue à l'internat, d'exercer.

— Et votre père, lui…

— Fâché avec tout ça. L'argent comme mètre-étalon de toutes choses, l'argent qui rapporte de l'argent, la financiarisation de l'économie, l'étalage des grands trains de vie, ça lui fait horreur. Il aime l'art et déteste ceux qui le collectionnent. Un fou de Rothko, mon père, mais il n'a pas besoin de posséder pour apprécier. Il veut être un habitant, pas un consommateur. Il rêve d'un monde sans argent. De fait, il n'en a jamais besoin. Il ne dépense presque rien.

— Il fait comment?

— Il ne consomme pas, c'est tout. On dirait que la société n'a pas prise sur lui. »

S'ensuivit le portrait d'un bienheureux de la désolation face aux heureux du monde. Du genre à se sentir plus riche que les riches tout en ne possédant rien d'autre que ce quelque chose qu'ils n'auront jamais car l'argent ne peut l'acheter. Elle en faisait un peu trop, le sentait peut-être, glissant tout de même de menues réserves ou quelques retouches dans son témoignage d'amour filial, mais elle paraissait sincère. Elle lui concédait par exemple un certain orgueil, mais quel champion en est dépourvu?, quand soudain elle fronça les sourcils :

«Attendez, Nina, vous dites qu'il trouvait un *intérêt* à cet accident?...

— Malgré leur divorce, votre mère prévoyait de lui léguer la moitié de sa fortune si elle venait à mourir avant lui. Vous l'ignoriez, je suppose?»

Emma en resta coite. La révélation l'avait dans l'instant assommée, vidée de toute énergie. On la sentait désarmée, le corps affalé contre la chaise. Un discret sourire se dessinait sur le visage de l'officier de police, reflet d'un léger triomphe intérieur; et ce n'était pas seulement parce que la fierté qu'Emma affichait lorsqu'elle disait «mon père» lui faisait envie, à elle qui n'avait jamais eu l'occasion d'en dire autant. Un autre je-ne-sais-quoi lui avait fait plaisir :

«Vous m'avez appelée Nina?»

Qui n'a pas eu de religion à sa naissance n'en a pas à sa mort. Les parents devraient y penser. Pas seulement pour que l'enfant ait le choix plus tard, pour qu'il ait même quelque chose contre quoi se rebeller, un principe à rejeter, une vision du monde à laquelle s'affronter. Tout plutôt que rien. Pour ne pas que sa mort soit expédiée en cinq minutes et deux discours. Un peu de sacré plutôt que trop de religion.

Voilà ce que se disait Emma Meyer en se retournant vers la petite foule derrière elle, une poignée d'amis, quelques collègues, ce qui restait de la famille. Et un peu à l'écart, transie mais vaillante, ses cheveux blonds ramassés dans un gros bonnet de laine noire, Nina. Des valeureux qui avaient bravé un froid coupant. Ils l'avaient fait en connaissance de cause car le Père-Lachaise n'est pas seulement, comme tout cimetière, l'endroit le plus calme de la capitale, celui où l'on enregistre le plus faible taux de décibels : c'est aussi celui où l'on peut avoir à marcher des kilomètres derrière un fourgon crêpé de noir, sur des gros pavés disjoints et glacés, dans des allées ascendantes et descendantes.

Elle observait les courageux, s'inquiétait de l'état des plus âgés, tenait son rôle car sa mère l'aurait voulu ainsi. Mais elle ne se sentait pas d'ouvrir son cœur en lisant un texte. D'autres s'en chargeaient puisqu'il n'y avait pas de cérémonial. Des mots furent prononcés. Elle les écoutait distraitement, le regard dans le lointain, d'autant qu'un vieil ami de Marie Meyer s'étant lancé dans l'évocation de leur commune dilection pour les matchs de tennis, il insistait sur la passion qu'elle avait développée pour Rafael Nadal, il avait entrepris de raconter les émois de la défunte à l'occasion d'un récent tournoi de Wimbledon vécu à deux devant son poste de télévision, et souvent, c'est long, un match...

Chaque fois qu'elle avait eu à accompagner ses parents dans ce cimetière, Emma avait laissé son regard gambader du côté des tombes alentour du caveau familial, simple curiosité pour les voisins, leur nom sur la plaque, l'ébauche de leur biographie, leur origine peut-être ; il est toujours bon d'en savoir un peu plus sur ses copropriétaires, surtout si l'on est appelé à les fréquenter quelques siècles. Sauf que cette fois elle était happée par la vision d'un autre attroupement un peu plus loin sur la gauche, dans une allée parallèle. Rien ne semblait le distinguer des obsèques de Marie Meyer, lesquelles en étaient au quatrième set après deux tie-breaks. À un détail près, mais il ne laissait pas de l'intriguer : un homme emmitouflé dans un long manteau noir, une grosse écharpe autour du cou, un chapeau feutre vissé si bas sur la tête qu'on ne distinguait pas ses traits. Or il avait ceci de particulier que, depuis le début de la cérémonie, il tournait le dos à son enterrement pour faire face à celui de Marie Meyer. Elle n'en aurait pas juré mais ses lèvres remuaient comme s'il marmonnait une prière. Il participait à distance.

Une fois que les derniers amis lui eurent présenté leurs condoléances, Nina proposa gentiment à Emma de la ramener en ville, ou même de la déposer à la station de métro, mais non, elle voulait rester seule face à la tombe encore fraîche, parler une dernière fois à sa mère, lui dire combien elle l'avait aimée et combien ç'avait été difficile de le lui dire de son vivant.

Le fait est qu'elle avait toujours eu du mal à laisser les sentiments triompher de son intelligence. Comme son père. Quand les employés des pompes funèbres eurent replié leur matériel et que l'endroit fut désert, Emma avisa l'autre enterrement, qui n'était pas encore achevé. Elle s'en approcha mais dut se rendre à l'évidence : l'homme au chapeau, dont la silhouette lui rappelait tant celle de son père, dont la présence secrète aurait tant ressemblé à sa manière d'être là sans y être, cet homme avait disparu.

3

Surtout ne pas laisser de traces. Rien n'obsédait davantage Gustave Meyer.

Son premier geste avait été de retirer le maximum d'argent liquide autorisé sur son compte. C'était une banque de l'avenue de La Motte-Picquet, à la sortie du métro École militaire. Celle-là ou une autre, toutes photographiaient automatiquement les clients au moment où ils actionnaient le distributeur de billets. Son chapeau enfoncé jusqu'aux sourcils, il avait baissé la tête. Puis il avait donné sa carte de crédit à un clochard. Le bonhomme n'en revenait pas, lui qui avait élu domicile là, contre le mur de la banque, dans l'espoir qu'un ou deux Parisiens, pris d'un rare sentiment de culpabilité, allégeraient leurs poches de quelques pièces.

Son compagnon de bitume n'en revenait pas non plus. Il lui avait adressé un regard plein d'envie, la tête légèrement penchée, un discret sourire, une expression réclamant non de la pitié mais de l'aide, ce qu'ils appelaient « un petit quelque chose ». Gustave Meyer avança, s'arrêta, revint sur ses pas et lui lança à la volée son téléphone portable, laissant les deux hommes à terre également stupéfaits.

Désormais, il n'était plus localisable.

Il ne s'était jamais senti aussi libre de toute attache; et pourtant, s'il savait où ne pas aller, il ignorait où aller.

Il marcha longtemps dans la ville en se laissant porter par ses pas. Le quartier Saint-Paul lui était familier, une partie de sa famille y avait vécu avant, pendant et après la guerre. Du moins ceux qui en avaient réchappé. Les survivants, les rescapés. Beaucoup n'étaient plus de ce monde mais pour leurs descendants tout tournait encore autour de cet astre noir : la guerre, sans numéro ni autre précision, comme s'il n'y en avait jamais eu qu'une. Oubliées la Première, l'Indochine, l'Algérie. C'est peut-être pour cela qu'il évitait le quartier de son adolescence, celui où il jouait avec Robert, son camarade de classe, appelé, et même promis, à devenir un jour le professeur Klapman, sa mère en jurait volontiers.

Sa déambulation dans les rues les plus étroites encore dans leur jus d'autrefois, c'est-à-dire intouchées par le culte de la fringue et du luxe, lui donnait l'impression de marcher dans sa propre mémoire. Un sentiment étrange exalté par la mélancolie qui sourdait de ses façades. Il est vrai qu'ici le génie des lieux n'avait pas besoin de porte-voix tant les murs étaient éloquents.

Ce devait être la plus grande concentration de plaques de la ville. On s'arrête et on lit, c'est fait pour ça. Pas une école qui ne rappelle une rafle d'enfants avec le nombre, la date et la destination à l'appui. La rigueur de l'hiver, la rareté des passants, la lumière blafarde ajoutaient à cette vision de cauchemar. Impossible d'y échapper. Aussi ne fut-il pas surpris de se retrouver devant le Mémorial de la Shoah, rue Geoffroy-l'Asnier. Ses grilles ne lui étaient pas étrangères mais il ne lui avait jamais pris de les pousser. Façon de parler car elles étaient closes, l'entrée ne se faisant qu'à travers des sas sécurisés. À croire que les spectres risquaient une attaque terroriste tout autant que les vivants. Mais dès qu'il y pénétra, il comprit que l'on puisse s'en prendre au symbole tant il était puissamment incarné. Juste pour tuer les morts une seconde fois.

Nul besoin d'aller plus avant à l'intérieur du mémorial du côté du musée, de l'auditorium ou de la crypte. Le parvis à l'entrée lui avait suffi. Un mur des noms éclaté en plusieurs pans y était édifié. Le visiteur s'y enserrait. Combien pouvait-il y en avoir gravés dans la pierre de Jérusalem ? Des milliers et des milliers. Soixante-seize mille dont onze mille enfants, indiquait une feuille. Tous Juifs déportés de France. 1942, 1943, 1944 par ordre alphabétique chaque fois accompagné de la date de naissance. Instinctivement, après s'être laissé envelopper par le tourbillon de sa lecture circulaire, comme pris de vertige, il chercha les «M». Quelques dizaines de Mayer et de Meyer. À deux reprises il tomba en arrêt devant son nom suivi de son prénom. L'un était né en 1893, l'autre en 1879. Pas lui mais presque. C'était comme s'il se voyait soudain, très vieux et tout à fait mort, ses cendres mêlées à la terre du camp, là-bas.

Un étrange silence régnait entre ces pans de mur hauts de quelques mètres. Pas des murs qui enferment ni des murs qui protègent, mais des murs qui rappellent. Peut-être la compassion face à la présence des morts est-elle pour certains leur seule manière de se sentir appartenir à la communauté des vivants ?

Tous des martyrs, mais Meyer l'entendait d'abord au sens premier du terme. Moins comme des victimes que comme des témoins. Il faisait sombre à l'intérieur de chaque nom. Il ne put s'empêcher de chercher celui de son ami Robert. Comme elle l'entendait murmurer «Klapman, Klapman, Klap...», une dame au fort accent polonais, en qui tout annonçait que la vie n'avait pas été complaisante avec elle, lui glissa :

«Vous savez ce que c'était qu'un Klapman dans les *shtetls* ? Celui que la communauté désignait pour appeler les gens à la prière du matin en tapant sur leurs volets. Klap, klap, klap... C'était concevable là-bas, moins à Paris, encore que dans certains quartiers...», dit-elle en éclatant de rire.

Un vieux monsieur s'approcha ; il tendait un index

fébrile vers le faîte d'un mur. Des bribes de yiddish tombaient de ses lèvres en un murmure désolé. Gustave Meyer ne put lui refuser le service qu'il demandait à la cantonade : chercher un nom à sa place car il ne voyait pas si loin si haut, même si son regard était profond.

« Alors, vous trouvez ?

— Il y en a bien un, un seul qui correspond : Piotrkowski, David.

— Et puis ?

— 1908.

— C'est lui, mon père. Je suis venu d'Argentine juste pour ça. Dommage que… »

Il n'implorait pas, ne se lamentait pas. Il se voulait juste fidèle à l'honneur d'être vivant. Mais tout dans son regard bleu humide, dans la tension de son cou vers le ciel, dans sa vaine tentative de se dresser sur le bout de ses pieds, tout reflétait le regret de ne pas *voir* son père en lisant son nom. Quelques minutes après, Gustave Meyer revenait accompagné d'un gardien du musée portant une échelle à l'épaule. Ils ne furent pas trop de deux pour y hisser le vieux monsieur et l'y maintenir au sommet sans risquer une chute. Tous les visiteurs s'étaient immobilisés pour contempler cette scène inédite : un homme juché dans les hauteurs, tout de larmes muettes, secouant la tête de gauche à droite, submergé par une expérience qui le dépassait, touchant du doigt une inscription, la touchant encore jusqu'à la caresser, ressuscitant en lui la souffrance de son père. On aurait dit que tout le Mémorial retentissait secrètement de l'écho de sa voix. C'était comme s'il l'avait retrouvé après une trop longue absence. En était-il heureux ? La question perdait son sens à la simple pensée que n'importe qui peut être heureux alors que ce qu'il venait de vivre n'était pas n'importe quoi.

On dit que le temps fait son œuvre. Cet homme témoignait de ce que le temps ne s'efface pas.

Une fois dehors, Gustave Meyer retrouva les choses du quotidien. De quoi être aimanté à nouveau par des vies comme neuves plutôt que par des résurrections. Il commanda un café au zinc du bistro à l'angle de la rue. Les bruits du matin, réunis en une rumeur indistincte, l'enveloppèrent dans un étrange sentiment de vacuité. La musique avait laissé la place aux informations à la radio. Le maire de la ville y expliquait que, la capitale n'étant pas une station de sports d'hiver, il ne fallait pas s'étonner de l'absence de chasse-neige dans ses équipements.

L'enseigne d'un salon de coiffure retint son regard. Il s'y fit totalement raser la tête ; expérience inédite, il confia son visage au coupe-chou du barbier et ne conserva que le bouc. Deux cents mètres plus loin une pharmacie présentait des montures de lunettes assez originales sur un tourniquet en vitrine, l'apothicaire s'étant fait désormais drugstore ; il y choisit donc la plus moderne, épaisse et encadrée de noir, dotée de verres non correcteurs teintés en dégradé de manière à dissimuler son regard, il en faut si peu pour avoir l'air mystérieux.

Il entrait dans sa nouvelle peau. Une sorte de clandestin sans plus aucun papier. Il saurait faire face tout en restant de profil, afin de ne pas faciliter l'identification.

Les personnes qu'il avait croisées au mur des noms le hantaient déjà. Leur seule présence l'avait confirmé dans l'idée qu'il pourrait tout dissimuler sauf son identité : il tenait à son nom autant que son nom le tenait. Tout renoncement vaudrait trahison. Il fit quelques pas et ressentit comme jamais que l'étranger est celui qui vous fait croire que vous êtes chez vous.

Il se retrouvait seul dans sa ville alors que la nuit tombait, une vraie nuit d'hiver, pesante, sans concession ni complaisance pour l'organisme. Seul comme à l'ordinaire, ce qui ne le changeait pas de son humaine condition. Seul parce que solitaire mais jamais esseulé. Seul car sans le moindre lien hystérique de séduction avec qui que ce soit. Nulle tristesse ni la moindre mélancolie dans sa situation car ce n'était pas une solitude subie mais une solitude choisie.

À l'autre bout de la rue maculée de boue verglacée, il trouva les quais. Le fleuve charriait ses rares péniches plus lourdement qu'en été.

Gustave Meyer allait devoir apprendre à vivre dans les angles morts de son pays. Une silhouette lui revint en mémoire. Elle l'avait passionné dans sa jeunesse et venait le hanter désormais. Non celle d'un homme qui marche mais celle d'un homme qui court. Un fugitif d'une série télévisée des années soixante qui n'arrêtait pas de fuir la police d'un épisode l'autre, et il y en avait eu cent vingt ! On l'accusait d'un crime qu'il n'avait pas commis. Le meurtre de sa femme.

Lui aussi fuyait mais, dans ses cauchemars, il repoussait des deux mains le spectre du docteur Richard Kimble car sa fuite était sans fin.

Toujours voir les gens dans leur jus. Une règle d'or. Ajouté à cela qu'elle aimait bouger. L'enquête se fait sur le terrain, pas derrière un bureau, elle l'avait assez répété. À d'autres le bonheur de passer les moteurs de recherche à la question et de faire vomir les ordinateurs. Elle aimait trop les gens, la vie, le bruit et si c'est nécessaire les larmes, la merde, le sang, pour rester assise. Même à califourchon sur Bonnie, elle ne se supportait pas trop longtemps, Nina.

En garant sa moto au parking du Grand Hôpital, elle fut déjà happée par l'odeur des lieux. Un mélange âcre de médicament et de désinfectant, saupoudré de plâtre, rehaussé d'urine et mâtiné d'eau de Javel. Secouez le tout et vous obtenez un cocktail APHP au goût inimitable. Parfum de putréfaction, fumet pour nez délicats. Fallait juste espérer que la cantine en soit préservée, au moins celle des patrons.

Robert Klapman, mi-homme mi-caféine, l'attendait à l'entrée, le téléphone à l'oreille, plus agité que jamais. À sa vue, il se calma d'un coup. Son sourire revint, ses tremblements cessèrent, sa conversation aussi, du moins y mit-il un terme aussitôt en refermant sèchement son téléphone. Il savait qui elle était, mais visiblement il ignorait à qui il avait affaire.

«Professeur Klapman, dit-il en s'avançant vers elle la main tendue.

— Nina.

— Ah mais… j'attendais le commandant Rocher.

— Pareil. C'est Nina. On se met où?»

On lui avait réservé une table isolée. Ce sourire conquérant, faussement séduisant, si peu assuré au fond, machiste sans en avoir l'air, incarnait tout ce qu'elle détestait chez les hommes.

«Au commencement était la faim!», il n'avait rien trouvé de mieux pour rompre la glace en lui tendant le menu. Pendant une trentaine de minutes, elle le laissa parler en roue libre, de son ami Gustave, de ses qualités humaines, de son génie même.

«Mais quels sont vos rapports au juste?

— C'est mon plus vieil ami. J'ai été de ceux qui ont porté le cercueil de son père. Le genre d'image qui ne s'oublie pas.»

Il y eut un silence, puis il reprit, d'un débit nerveux et ininterrompu, en agrémentant de temps à autre son récit de digressions sur sa propre réussite. Elle guettait un trou d'air depuis un moment et s'engouffra dès qu'il se présenta :

« Je sais tout ça.

— Ah... Que vous manque-t-il alors ?

— Sa maladie. Faut m'expliquer ça. Comment ça se soigne tout ça. Faut que j'entre un peu dans son cerveau.

— Vous jouez aux échecs ?

— Pas personnellement.

— Dommage, cela irait plus vite. Quand on veut connaître quelqu'un à tous points de vue et qu'il sait jouer, quel que soit son niveau, il faut le défier pour savoir qui il est. »

Nina pensait que pour connaître quelqu'un, il fallait plutôt manger avec lui et observer ses manières de table, sa façon de tenir ses couverts et de mastiquer la nourriture, ses préférences culinaires. Ou alors se frotter à lui, le chevaucher la nuit et se réveiller à son odeur, bref, repérer son éducation ou sa sensualité, mais les échecs, franchement, non, elle n'y avait pas pensé.

« Ainsi moi, reprit-il...

— C'est lui qui m'intéresse. Pas de nouvelles, bien sûr ?

— Rien. »

Ce n'était pas un refus de coopérer. Tout dans son ton indiquait qu'il le déplorait autant qu'elle. Mais pas pour les mêmes raisons. Klapman, qui jugeait absurdes les soupçons de meurtre de la police, ne pensait qu'au grand tournoi d'échecs de Prague, l'équivalent d'un championnat du monde auquel son ami s'était beaucoup préparé, un affrontement qui s'annonçait historique au-delà des querelles de prérogatives de la Fédération internationale. L'échéance se rapprochait et l'inquiétude montait. Mais pour l'instant, si rien n'annonçait un forfait de Gustave Meyer, rien n'assurait sa présence pour autant.

« Rien », répétait-il, songeur.

Ils en étaient déjà au café. Ça ne traîne pas dans les hôpitaux. Personne n'a le temps. De toute façon, la cuisine n'engage pas à s'attarder. L'évocation de Marie Meyer tourna court ; il n'estimait guère son activité de blogueuse d'alerte, ses combats perdus d'avance contre la puissance des laboratoires, et jugeait même qu'elle avait été un obstacle au rayonnement de son mari.

Il l'accompagna dans le dédale des couloirs. Nina entendait bien lui faire tenir sa promesse : la laisser assister à une opération du type de celle qu'il avait dû pratiquer sur Gustave. Juste pour y voir plus clair. Au début, il avait rechigné, c'est trop technique, vous ne verrez rien, avant d'accepter de mauvaise grâce, si vous y tenez mais c'est le matin très tôt, laissez-moi consulter l'agenda, demain éventuellement...

« À demain », trancha Nina en sortant déjà son petit matériel pour s'en rouler une.

À 7 heures, elle l'attendait à la porte de son bureau encore fermé. Il rangea ses affaires et l'emmena au bloc. En chemin, il commença à expliquer le type d'opération qui se dissimulait sous le sigle «SCP», opaque aux yeux des non-initiés : stimulation cérébrale profonde. On la devait à une découverte révolutionnaire dans les années quatre-vingt des professeurs Benabid et Pollak avec leur équipe du CHU de Grenoble.

À l'entrée du bloc, Klapman revêtit sa casaque chirurgicale tandis que Nina était invitée à s'envelopper d'une blouse stérile et à recouvrir ses chaussures. Tous paraissaient avoir intégré comme un réflexe naturel le rituel des règles d'asepsie. Ils s'y pliaient sans y attacher d'importance. Il se lava les mains, longuement et énergiquement ; on lui enfila ses gants et d'un signe de tête il invita Nina à le suivre. Dans la salle d'opération, où des chirurgiens, des anesthésistes et des infirmiers masqués s'affairaient autour de la table, plus encore que dans le reste de l'hôpital, on sentait bien que c'était lui le patron et lui seul. On devinait que son équipe n'aurait pas cillé ni rien ébruité si elle l'avait vu faire comme ce chirurgien de Birmingham dont parlait la presse qui avait signé une transplantation en gravant ses initiales «SB» au gaz argon sur le foie d'un patient.

Un homme était étendu sur le billard, sous anesthésie générale, la tête enserrée dans un casque, sous la lumière sans ombre du scialytique. Après que le professeur eut réuni son équipe pour commenter les clichés de l'IRM, la visualisation du cerveau du patient en 3D, ils s'attaquèrent à ce que le chirurgien appelait le fond du problème : le placement d'électrodes et l'implantation d'extensions et d'un neurostimulateur. Le professeur l'avait prévenue que, grâce à un ciblage extrêmement précis, il n'allait pas totalement ouvrir le crâne et le cerveau. Était-ce la présence de deux jeunes internes ? Toujours est-il qu'il n'arrêtait pas de parler, d'interroger, d'expliquer. Les autres membres de l'équipe aussi. Certains y allaient de leur plaisanterie, d'autres lisaient un magazine comme pour n'importe quelle autre routine. Coincée entre deux machines debout contre un mur, Nina se faisait oublier. Il en fut ainsi cinq heures durant.

Le sang, elle avait l'habitude. L'attente, aussi. Le froid, moins.

Il devait être 13 heures lorsqu'ils quittèrent le bloc.

« Je dois vous abandonner, un rendez-vous, s'excusa-t-il. Je vous retrouve cet après-midi à l'amphi 4 pour un petit tour d'horizon. Asseyez-vous parmi les étudiants, vous comprendrez mieux ce que vous avez vu. »

Dix minutes avant le début de la séance, la salle était déjà pleine. L'assistance était censée être aussi peu affranchie qu'elle sur la question. Sauf que tous étaient médecins. Ils avaient les codes, le lexique.

« Le cerveau, c'est cent milliards de cellules nerveuses... Mais si on dit que ce n'est pas un organe comme les autres, c'est aussi qu'il est le seul à pouvoir réfléchir à son propre fonctionnement... Il s'agit d'y placer des électrodes pour stimuler des groupes de neurones en leur appliquant un faible courant électrique qui aura pour effet d'augmenter ou d'inhiber leur activité... On cible des structures pour être à même d'analyser les activités des neurones... En modulant les ganglions de la base, on agit sur les comportements mais aussi sur la cognition, voire sur les affects... Avant cette technique, les zones ciblées étaient détruites et le dommage semblait irréversible notamment sur la parole ou le mouvement... Quatre semaines après l'intervention, une fois le patient remis, on programme le neurostimulateur, un boîtier implanté généralement dans le thorax ou sous la clavicule et qui y crée un petit relief, afin qu'il envoie des impulsions à haute fréquence par le câble sous-cutané jusqu'aux électrodes et diminue ainsi la fréquence des crises. Puis ce n'est plus qu'une question d'adaptation, d'accommodement et de réglages de paramètres, de fréquence, d'intensité.

«Après, ça se bidouille!» dit-il, pas mécontent de sa formule, mais reconnaissant en toute modestie qu'on ne comprend toujours pas comment le cerveau épileptique peut être normal pendant des heures et basculer soudain dans une crise...

Dès qu'il levait les yeux de son powerpoint, il redevenait passionnant car plus humain, l'improvisation favorisant de menues erreurs sinon des oublis. Il ne touchait jamais autant qu'en disant son admiration pour la plasticité du cerveau, sa capacité à réorganiser les connexions entre les neurones et à se façonner en fonction de l'expérience vécue. «Phé-no-mé-nale!» insistait-il en détachant bien les syllabes.

Nina en retint surtout qu'en titillant le noyau sous-thalamique, une zone minuscule, on pouvait provoquer un état d'euphorie. Ce qui ne lui déplaisait pas. À certains étages de la PJ on serait bien inspiré de recourir de temps en temps à la stimulation cérébrale profonde. Elle décrocha quand un expert en imagerie vint expliquer comment un atlas des noyaux gris centraux une fois ajusté à l'IRM d'un parkinsonien pouvait guider l'implantation d'électrodes; il ne jurait que par les avancées de la recherche sur les algorithmes et les maths dans le traitement de l'image et sur la modélisation numérique. Il avait l'air convaincu.

À la fin, tout se mélangeait dans l'esprit de Nina, les TOC, la maladie des tics de Gilles de La Tourette, la dépression, l'épilepsie, le parkinsonisme, les dystonies, l'Alzheimer! Or ni les études de droit ni l'école de police ne préparent à ça, se disait-elle, la tête entre les mains, les coudes sur le pupitre. Ne vous inquiétez pas, la rassura son voisin de droite, conscient d'avoir affaire à une étudiante décalée par rapport à la moyenne d'âge, on a tous le vertige à la pensée de ces centaines de millions de gens en dépression de par le monde, c'est grandiose comme abîme dans le genre, ne vous en faites pas, tous ces malades sont concernés par la neurostimulation, ça va être détaillé tout au long du semestre, je vous expliquerai. Nina le prit aussi mal que s'il lui avait laissé son siège dans le bus.

Il ne manquait pas de charme, pourtant ; bien qu'il fût assis, on devinait une carrure de nageur olympique, mais il ne l'ignorait pas, hélas. On n'avait pas dû souvent lui opposer de résistance. Son regard d'un bleu translucide n'avait cessé de la détailler durant toute la conférence. Scrutateur, insistant, déshabilleur. Que lui témoigner d'autre que de l'indifférence ? Ça, elle savait faire. Plus d'un en avait été déconcerté, et plus d'une découragée ; car Nina était dotée d'un physique non pas androgyne, elle était trop femme pour ça, mais bisexuel, qui créait la confusion.

La complexité de l'interprétation des signaux d'électrophysiologie ne semblait pas l'effrayer. Il l'abordait avec la même décontraction que pour accoster une femme. Quelques notes à peine griffonnées de temps en temps sur une feuille quand les autres ne rataient pas une virgule et remplissaient un cahier. Ce qu'on appelle probablement avoir des facilités, sauf que lui les avait manifestement en toutes choses. L'essentiel de sa concentration allait à l'écran de son ordinateur. Nina risqua un œil indiscret :

« C'est des blogs que vous lisez en cours ?

— Oui mais que sur la médecine ! » fit-il en un large sourire.

Il pianotait en virtuose et passait ses favoris en revue comme on exhibe des trophées. Le défilé avait été trop rapide mais elle avait cru entrevoir un visage familier. Un effet subliminal sans doute.

Quand ce fut terminé, elle s'attarda quelques instants à la cafétéria pour boire un chocolat chaud, debout à un comptoir isolé.

« Pas trop secouée ? »

Lui encore, tout sourire, prêt à la réconforter. Il ne décrochait pas. Son grain de voix lui plaisait, ses mains tout autant, ce qui était selon elle aussi détermi-nant chez un homme que le galbe des fesses, mais son assurance l'exaspérait. Son regard respirait la sérénité. Un lac parfaitement plat s'y reflétait sans la moindre ride à la surface. De toute évidence, ce jeune homme n'avait pas été persécuté par la psychanalyse. Dans ces moments-là, pour se débarrasser, Nina balançait froi-dement, le visage particulièrement inexpressif, une de ses petites cruautés qu'elle tenait en réserve :

« J'ai deux nouvelles pour vous : la bonne, c'est que Dieu existe ; la mauvaise, c'est qu'Il vous aime pas. »

Cela ne l'ayant même pas fait ciller, Nina en conclut qu'elle était probablement tombée sur quelqu'un qui n'avait jamais entendu parler de Dieu dans l'étendue de Sa miséricorde. Il revint à la charge, mais non, maugréa-t-elle, pas le jeu de la séduction, pas quand il y a une bonne génération d'écart, on n'a plus de temps à perdre pour ces choses, je connais un bar sympa à la

Bastille, vous êtes libre à dîner j'espère ; air connu, inutile. Elle brisa là.

« Si c'est pour baiser, c'est tout de suite. Après j'aurai plus envie. »

Il la regarda, interloqué.

« Ça manque pas de lits ici. Alors, vous vous décidez ? »

Le jeune athlète bafouilla, prétexta des cours et se retira à reculons en la dévisageant à l'égal d'un alien. S'il l'avait vraiment regardée, ce qui s'appelle regarder, il aurait découvert qu'on peut avoir les yeux bleus et le regard sombre.

Plutôt que de lui demander des éclaircissements sur le fonctionnement du neurostimulateur, elle préféra les chercher en bibliothèque. Après avoir passé un quart d'heure dans les labyrinthes des étages, elle finit par trouver mais l'endroit était bondé. Le temps de se procurer un livre et une revue auprès du guichet, elle se mit en quête d'une place. Il y avait bien un espoir au fond à gauche, à une table ronde où plusieurs étudiants révisaient en groupe. De loin, un fauteuil paraissait occupé par des sacs. Une main se leva qui lui fit signe de se rapprocher. Lui encore, mais elle n'avait guère le choix. Sans se redresser de la chaise sur laquelle son long corps était affalé, il fit place nette et, d'un sourire mais sans un mot, l'invita à s'asseoir.

Plongée dans ses livres, Nina n'en interrompait la lecture que pour l'observer à la dérobée. Lui et son groupe. Soudain elle sentit son âge et ce ne fut pas une sensation agréable. Il ne cessait ses plaisanteries à bas bruit que lorsque la table voisine se plaignait ; alors il s'engouffrait à nouveau dans son ordinateur.

« Vous pouvez me montrer vos blogs ? »

Il se rapprocha d'elle de manière qu'ils fissent face à l'écran. À sa demande, il fit à nouveau défiler ses favoris. Jusqu'à ce qu'elle appuie d'un geste brusque sur sa main.

« Là ! »

Elle la retira aussitôt en se rapprochant de l'écran. En haut à droite, la photo de la blogueuse l'attira. Elle cliqua pour agrandir le portrait, c'était bien elle : Marie Meyer.

« Vous la connaissez ?

— En quelque sorte, répondit Nina. Vous savez qu'elle est morte ?

— Non.

— Vous lisez pas les journaux ?

— Pas le temps. Je comprends pourquoi il n'y a pas de nouveaux billets depuis quelques jours. Dommage. Medicart, c'est le plus top des sites un peu décalés, un peu marginaux par rapport à l'institution, un peu... Elle ose, quoi ! Enfin, elle osait... »

Nina le cuisina malgré les soupirs et les injonctions au silence de la salle. Il lui fit un tableau complet de ses enquêtes, de sa dénonciation permanente de la corruption des laboratoires, de leur capacité à inventer des maladies pour y faire coller leurs nouveaux médicaments, de la gestion erratique de certains hôpitaux, des dérapages éthiques de certains confrères, mais sans les nommer car elle était elle-même médecin généraliste et le conseil de l'Ordre, qui n'aimait guère ce profil de lanceuse d'alerte, l'avait à l'œil, même si elle n'avait rien d'une «hacktiviste». Le matin même de son accident, elle tapait dur, une fois encore.

Nina quitta la bibliothèque d'un pas décidé; avant même d'enfourcher sa moto, elle appela son bureau et passa un savon à l'un de ses adjoints, celui-là même qu'elle avait chargé de travailler sur le passé de Marie. Il avait épluché ses agendas, sa correspondance, ses relevés de carte de crédit, sa patientèle, ses derniers rendez-vous, sa vie sentimentale, mais, s'il avait bien noté qu'elle écrivait régulièrement en ligne, il avait pris cela pour quelque chose d'anodin à l'égal de ces blogs de filles qui pullulaient sur la Toile, et n'avait pas jugé nécessaire de le poser sur une table de dissection pour le faire parler :

«Il a cinq années d'activité! criait-elle. Tu reprends tout *fissa*, les articles et les commentaires, et tu me fais le rapport pour demain!»

En passant deux nuits sur ce dossier, Nina eut le sentiment de découvrir un monde. L'Internet lui était familier comme à tout un chacun. Elle n'en avait qu'un usage pratique, limité, basique au fond. L'épluchage du forum des lecteurs de Medicart mettait au jour toute une humanité qui ne dormait pas, ne sortait pas. Des gens qui vivaient par procuration d'autres vies que les leurs. Rien ne semblait échapper à leur esprit d'analyse. Les digressions ne manquaient pas et le site prenait souvent l'allure d'un café du commerce, mais planté en face d'un hôpital, de préférence. Le moindre événement, la plus insigne information, la plus légère rumeur étaient désossés dans l'instant et nourrissaient des centaines de commentaires plus ou moins bien inspirés. Mais il y avait toujours des pépites et on se doutait que si Marie Meyer avait si longtemps laissé ouvert le robinet à éructations, c'était pour ces éclairs dans un ciel brumeux. Informés, drôles, délirants. Elle en faisait son miel et y trouvait des encouragements pour continuer, ce qui n'allait pas toujours de soi tant les pressions du dehors étaient fortes.

Gustave et Emma voulaient qu'elle arrête les frais, mais son ex-mari n'avait jamais été dans la course et sa fille y était jusqu'au cou. De quoi juger l'un comme l'autre trop mal placés.

Il devait être 1 heure et 30 minutes la nuit où le téléphone réveilla Emma.

« C'est moi. Je viens de lire tout le blog de votre mère.

— À cette heure-ci?

— J'ai besoin de savoir sur quoi elle travaillait.

— Ça peut attendre de...

— Non ça peut pas. »

Il y eut un long silence suivi de froissements de

draps, d'un grognement plutôt masculin, de bruits d'objets qu'on déplace, de pas en pantoufles traînant sur le parquet, d'un interrupteur enfin avant l'écoulement sonore d'un filet.

« Vous faites pas pipi quand même ?

— Un verre d'eau, j'ai le droit ? Merde, c'est pour un renseignement ou pour un interrogatoire ?! »

Après un instant au cours duquel les deux baissèrent d'un ton, Emma lui expliqua comment travaillait sa mère, veillant à suivre le rythme du crayon de Nina qui courait sur le papier. La précision de son portrait frappait par la justesse des détails : indépendante, franc-tireur, courageuse ; les mauvaises langues disaient qu'elle avait les moyens de ses provocations ; les journalistes spécialisés s'avouaient souvent bluffés par la rigueur de ses enquêtes alors qu'elle n'avait pas été formée pour ça. Depuis quelques mois, elle disait être sur une grosse affaire.

« "Un coup fumant !", ses mots mêmes, se souvint Emma. Tout ce que je sais, et sans plus de détails, c'est que cela avait à voir avec les trans et les post.

— Les quoi ?

— Les transhumanistes et les posthumanistes, évidemment. Allez, bonne nuit ! »

Pour Nina, elle fut courte. À l'aube, elle était déjà à la PJ, rivée à son ordinateur, à l'affût de ce nouvel humanisme.

4

Gustave Meyer était devenu un marcheur-automate pris dans la fourmilière urbaine. Un parmi d'autres confondu dans la foule. Crâne rasé, la bouche redessinée par le bouc, un long manteau, son chapeau feutre qui avait dû avoir une forme dans une autre vie, on ne le reconnaissait pas.

Une semaine qu'il n'était plus rentré chez lui. Huit jours que la police le recherchait.

Il vivait à la Goutte-d'Or, dans un petit hôtel de la rue de Panama, un deux-étoiles choisi pour son anonymat, où seule sa qualité de Blanc le distinguait des autres. On ne lui avait rien demandé sinon de payer à l'avance. Il prenait ses repas dans des gargotes du quartier en regardant distraitement la télévision. Être un homme ordinaire, voilà à quoi il aspirait et à rien d'autre. Comme s'il allait pouvoir se faire oublier.

Ce soir-là, ses pas le menèrent à la gare du Nord. Les derniers trains s'apprêtaient à partir.

Un homme courait comme un dératé une valise à la

main, assez lourde à en juger par la hauteur de son épaule. Meyer l'observa de loin, regarda le tableau des départs et lui barra la route. C'était plus fort que lui.

«Arrêtez, monsieur.

— Mais qu'est-ce qui vous prend? bafouilla l'homme hors d'haleine.

— Savez-vous que vingt pour cent des arrêts cardiaques à Paris surviennent dans des grandes gares? C'est là qu'on trouve le plus de défibrillateurs. En plus, vous portez votre valise du côté gauche…

— Mais, j'ai mon train là…, lui dit-il sans ménagement, persuadé que l'autre cherchait à lui vendre quelque chose, peut-être un défibrillateur semi-automatique avec une pile garantie quatre ans…

— À vous de choisir: le train ou la vie!

— Les deux!

— Vous ne pouvez pas, ne faites pas ça, sinon…»

L'autre en était interloqué:

«Non mais… vous me menacez?»

Le voyageur encore essoufflé ne marchait plus qu'à petits pas, mais à reculons, tout en dévisageant Gustave Meyer de façon appuyée. Reprenant sa course, il lui cria quelque chose comme «Faut vous faire soigner!», mais il n'en fut pas sûr, les annonces des haut-parleurs ayant couvert ses paroles. Elles annonçaient qu'en raison d'importantes chutes de neige sur les voies le train pour Lille partirait avec vingt minutes de retard. Tout ça pour ça.

Le marchand de journaux tirait son rideau, abandonnant un paquet d'invendus sur le côté. Meyer lut distraitement la une d'un quotidien ; en bas à gauche, un encadré évoquait un étrange accident d'auto sur les berges et renvoyait aux pages intérieures.

«Je peux?»

Il se servit. L'article rapportait les derniers éléments de l'enquête sur la mort de Marie Meyer. Un meurtre à distance. La profusion de détails techniques répondait certainement à la curiosité de l'automobiliste qui sommeille en tout lecteur. Il replia le journal et le rangea dans la pile. Puis il marcha dans le hall 1. Disons plutôt qu'il y flotta tant il était sonné par la nouvelle. Son regard se perdit vers les quais. Un attroupement s'était formé autour d'un homme allongé sur un banc, sa valise par terre, tandis qu'une personne tentait visiblement un massage cardiaque.

La gare se vida de ses voyageurs alors même que toute une humanité souterraine surgissait et s'y éparpillait un peu partout dans l'espoir de se planquer. Un musicien continuait à jouer comme s'il gardait un espoir de public. Sa guitare sèche se suffisait à elle-même. Pas d'amplificateur pour grésiller atrocement par-dessus. Juste la pureté du son. Meyer l'avait déjà repéré en arrivant dans la gare malgré le brouhaha, lorsqu'il interprétait encore et encore une transcription de «Jésus que ma joie demeure», machine à cash des musiciens des sous-sols certains de faire vibrer la corde de l'enfance chez le voyageur nostalgique. Assis en tailleur par terre, son bonnet rempli de pièces devant lui, il leva les yeux, constata que la foule avait déserté les lieux et changea enfin d'air, jouant pour lui et pour les hors-les-lois un morceau qui, dès son annonce, arrêta sur place Gustave Meyer alors qu'il s'éloignait. Il rebroussa chemin, s'accroupit près du musicien afin de mieux s'imprégner de cette mélodie qui revenait le hanter, celle-là même que la fille au didgeridoo avait jouée dans le métro le jour de l'accident, et attendit qu'il eût fini :

« Mais qu'est-ce que vous jouez ?

— "Il ballo di Mantova", répondit le jeune homme avec un fort accent. Un madrigal de la Renaissance italienne. Ou "La Mantovana", si vous préférez. Vous connaissez ?

— Une semaine que je vis avec et je ne sais pas pourquoi. »

Il ne savait pas non plus pourquoi son ex-femme avait été assassinée mais commençait à comprendre que tout devait le désigner. Pourtant je n'ai pas commis de faute, je suis la faute, murmurait-il, se persuadant que la menace est d'autant plus pesante qu'elle est invisible et que l'ennemi est sans nom. Il lança dans le bonnet toutes les pièces qu'il avait en poche et s'éloigna. Était-ce l'effet de ce morceau qu'il se surprenait à fredonner comme une vulgaire chanson à la mode ? Malgré l'heure avancée, ou à cause d'elle, mû par l'instinct plus que par l'intuition, tenaillé par le désir de savoir ce que son ami Klapman avait fait de lui, il prit la direction du Grand Hôpital, à pied et sans l'ombre d'une hésitation, bien décidé à mettre la main sur son dossier enfermé aux archives.

Autour de minuit. Du métro aérien, il observa la ville de haut et fut pris de vertige à la pensée que tous ces habitants rêvaient en même temps dans un inextricable chaos de scénarios peuplés de monstres qui, pour finir, regagneraient leur tanière au lever du jour.

Seuls les accès aux urgences étaient grands ouverts. Ailleurs les grilles étaient cadenassées. Son galurin enfoncé jusqu'au ras des sourcils, il traversa l'avenue, s'assit par terre contre l'une des piles soutenant le métro aérien, face au problème. La solution ne tarda pas à se présenter. Elle était allongée dans la pénombre un peu plus loin. Un couple au teint pâle et aux lèvres pourpres, pas très représentatif du génie national, des junkies tendance gothique, qui savaient comment se piquer tranquillement dans les sous-sols, encore plus marqués que ceux qu'il avait croisés en sortant de l'hôpital le jour de sa visite.

« Vous permettez que je vous accompagne ? C'est juste pour... »

Trop hébétés pour écouter la suite, ils le firent taire d'un geste. Il fallait attendre un peu que permutent les infirmiers de permanence. Juste le temps de renouer un instant avec sa vie d'avant. Il sortit son petit appareil et fit défiler ses photos du temps où Emma était encore petite lors des vacances dans la maison de famille, chez les heureux du monde au Cap-Ferret, l'univers de Marie qui ne fut jamais le sien, trop renfermé sur lui-même, trop enraciné dans sa dune du Pilat, trop muré dans la certitude de sa classe et dans l'arrogance issue de la hiérarchie de l'argent, des gens qu'il avait souvent observés dans les restaurants de poisson du coin où ils avaient leur table, un milieu qu'il enviait et plaignait à la fois tant ses représentants donnaient l'impression que le doute, l'inquiétude ni l'angoisse ne les effleuraient jamais, que rien ne pourrait jamais les atteindre dans leur bonheur d'être entre eux et qu'il en serait ainsi pour les générations à venir, celles de leurs héritiers. Ses dernières photos remontaient aux images prises dans le cabinet de Klapman. Puis un écran noir.

Après s'être penchés pour regarder l'heure à l'horloge au faîte du grand bâtiment, les deux junkies se levèrent enfin.

«Suis-nous!»

Ils passèrent par les urgences, où l'on ne s'étonne de rien ni de personne car tout peut y arriver et tous y débarquer, montèrent au premier étage, redescendirent par un dédale, empruntèrent une sortie de secours, longèrent les murs de manière à éviter les caméras de surveillance à travers quelques rues de l'établissement et se dirigèrent vers une petite porte anodine, écrasée entre deux unités de soins.

L'un des deux camés s'éclaira de son briquet pour lire un numéro écrit au feutre dans la paume de sa main. Le bon code. Gustave Meyer, impressionné par leurs yeux cerclés de fard sombre et par leurs ongles vernis de noir, tels que la flamme les révélait soudain, n'essaya même pas de savoir comment ils se le procuraient alors que la sécurité le modifiait exprès une fois par semaine ; il leur emboîta le pas. Le groupe descendit un escalier en colimaçon avant de se retrouver devant une nouvelle porte exigeant un nouveau code inscrit dans la paume de l'autre main. Ils descendirent un étage à nouveau. La lumière blafarde du couloir permettait à peine de distinguer les tags sur les murs. Sauf un, le plus important, le plus curieux aussi, bombé en noir et rouge : « ChiRURgien », agrémenté de dessins divers d'inspiration scatologique.

« C'est là, les archives. Ici l'entrée principale, plus loin les entrées annexes. Amuse-toi bien, nous on va au fond. Ciao ! »

Le sous-sol, où reposait la mémoire papier du Grand Hôpital et des dizaines de milliers de malades qui y étaient passés, avait tout du bunker. On l'aurait cru construit pour résister au néologisme forgé par Hitler en 1940 quand il envoya cinq cents bombardiers raser une grande ville des Midlands : *coventrieren*. On pouvait tranquillement y attendre la coventrysation de Paris pour la Troisième Guerre mondiale. Jamais la lumière du jour n'y pénétrerait.

Gustave Meyer enfila une paire de gants de chirurgie accrochés à l'entrée du bureau de l'archiviste. L'endroit respirait le renfermé, la poussière et, pire que tout, un tragique manque de moyens. Tout paraissait rafistolé, jusqu'à l'ordinateur central. Dans de longs couloirs parallèles des rayonnages regorgeant de dossiers hirsutes tapissaient les murs. On pouvait à peine s'y faufiler tant ça débordait de partout. Malgré la lumière blafarde diffusée par les plafonniers, le classement alphabétique lui permit de s'y retrouver sans trop de peine. Un patient, un dossier, de «A» à «Z», chaque spécialité régnant sur son coin.

Il chercha à «M» comme «Meyer»; il y en avait bien trois mais qui concernaient des femmes. Bien qu'un classement par le prénom lui parût absurde, il chercha tout de même à «G» comme «Gustave» puisque, dans son souvenir, c'était la lettre qu'il avait lue à l'envers dans le cabinet de Klapman. En vain. Il arpenta les autres pièces dans d'autres couloirs à la recherche de son nom, espérant une erreur de classement dans une spécialité autre que la neurologie. Toujours rien. Revenu à son point de départ, il chercha non dans les enfilades mais dans de petites pièces annexes. Jusqu'à ce qu'il tombe sur un coffre-fort blindé à hauteur d'homme. Une serrure biométrique à empreinte digitale ou rétinienne ne lui aurait laissé aucun espoir. Mais ce bon vieux Robert, que sa réputation de pingrerie précédait, avait choisi le modèle à combinaison électronique digitale, le plus économique parmi les plus récents. Car il était évident qu'il s'agissait de son coffre personnel, placé sous la surveillance exclusive de Jan, l'archiviste, dont le bureau se trouvait tout à côté.

Il caressa le pavé numérique comme pour l'amadouer. Klapman étant tout sauf naïf, si Meyer voulait trouver le code il devait éliminer d'office dates de naissance diverses et variées, numéros de téléphone et de cartes bancaires, immatriculation à la Sécurité sociale et autres. Meyer plongea dans sa mémoire, raviva leurs plus anciennes conversations, jusqu'aux cartes postales que son ami lui envoyait lorsqu'ils ne passaient pas leurs vacances ensemble. L'immersion ne donna rien de probant. Il fallait creuser dans des voies plus complexes, du côté de lois exponentielles, comme la loi de Moore, de formules mathématiques, d'équations. Rien. Ou tout simplement des quatre chiffres de l'année en cours selon le calendrier hébraïque : 5776. Rien non plus. Il essaya une formule issue de la Guematria, calcul des équivalences numériques des lettres de l'alphabet hébreu, dont ils avaient un jour longuement parlé : un mot rare dont la valeur correspondait au chiffre 7 corrélé ensuite à 46 qui contient toute l'organisation originelle du temps – quatre saisons et six âges de la vie. Toujours rien.

Prêt à renoncer et à s'avouer vaincu, il se laissa

glisser le long de l'arête du coffre-fort et s'assit à même le sol, la tête dans les mains. Comme souvent dans ces moments-là, il prit son appareil et regarda à nouveau les photos défiler sur l'écran. Le film de sa vie, car tout y était stocké. Jusqu'à ce qu'il parvienne en accéléré aux dernières images dans le cabinet de Klapman. Son dossier sur le bureau, Robert au téléphone, l'archiviste debout contre la porte, les gravures au mur, la bibliothèque, les livres... Un sourire s'esquissa sur son visage quand apparut le portrait de Primo Levi posé contre des livres. Un souvenir de vacances lui revint en mémoire.

Un été, il avait retrouvé Robert dans la villa qu'il louait sur le lac Majeur. Son ami les avait soudainement arrachés à la langueur des îles Borromées pour se rendre en pèlerinage sur une tombe au cimetière monumental de Turin ; il entendait lui montrer, ou plutôt lui prouver, car il lui fallait toujours convaincre, que Hitler avait gagné puisque son cher et vénéré Primo Levi, qu'il se soit vraiment suicidé ou pas importait peu finalement, serait marqué par sa déportation à Monowitz non seulement pour la vie mais pour l'éternité, ainsi qu'ils avaient pu le vérifier sur sa pierre tombale :

PRIMO LEVI

174 517

1919-1987

Sans plus et dans cet ordre. Un homme qui se trouvait dans l'allée avait surpris leur conversation ; il s'était approché et lui avait expliqué qu'il était dans l'erreur et qu'il fallait être italien pour comprendre la dernière volonté de Primo Levi, mais rien n'y avait fait. Robert Klapman n'en avait pas démordu : Hitler avait gagné la guerre car l'Europe de l'Est était *judenrein* et que son plus illustre déporté avait gravé à jamais son matricule dans le marbre, le numéro par lequel ses tortionnaires avaient justement voulu le soustraire à l'humaine condition pour le ramener à son être animal. Et les deux amis n'avaient cessé d'en disputer jusqu'à leur retour le soir aux îles...

Son matricule, il ne l'avait lu qu'une fois mais une fois lui suffisait pour qu'un nom, un lieu, une date, un chiffre s'imprime en lui. Et plus encore si la circonstance était inoubliable. Il tapa 174 517 sur le pavé numérique et la porte s'ouvrit. La combinaison du coffre n'était pas plus inviolable que la personnalité de Klapman n'était indéchiffrable. Encore fallait-il en être l'intime.

Quelques dizaines de dossiers reposaient dans son domaine réservé. De vrais dossiers à l'ancienne, simples couvertures cartonnées remplies de vraies feuilles de papier tapées comme autrefois ; d'ailleurs, une machine à écrire Japy attendait sagement au fond du coffre sous la protection d'une housse, moins comme une relique d'un temps révolu que comme une arme encore active. Des paquets de fiches étaient rangés dans des boîtes. Ainsi agissait-on encore au vingt et unième siècle avec les plus grands secrets. Pour ce à quoi il tenait vraiment, Robert voulait en rester aux vieilles méthodes afin d'échapper au fléau totalitaire de la traçabilité numérique. Meyer s'empara de l'ensemble et s'installa à une petite table vide.

Deux heures durant, il en examina le contenu, feuille à feuille, avec une grande méticulosité. Nul besoin de prendre des notes : lire c'est photographier. Le professeur Klapman se tenait au courant non des nouveautés, à ses yeux dépassées aussitôt après leur mise en circulation, mais des projets. Des rapports faisaient état d'un ordinateur quantique sur lequel travaillait la NSA, l'Agence nationale de sécurité américaine, qui aurait été capable de décrypter tout encodage à commencer par les codes protégeant les secrets médicaux.

Ailleurs, un rapport faisait le point sur les dernières avancées du projet DARPA au budget de quarante millions de dollars : deux équipes américaines y travaillaient d'arrache-pied au développement de la nouvelle génération de prothèses neurologiques implantables sur des patients souffrant de troubles de la mémoire ; cette agence de recherche sur les nouvelles technologies œuvrant essentiellement pour l'armée américaine, ses tests étaient effectués sur des soldats victimes de traumatismes de guerre au Moyen-Orient depuis 2000 ; on stimulait des groupes de neurones spécifiques afin de restaurer leur mémoire perdue.

Klapman mettait de l'argent partout. Dès qu'une start-up réalisait une levée de fonds d'amorçage, que ce soit en France, en Suisse ou aux États-Unis, il en était : ici, un nouveau vêtement connecté pour le diagnostic de l'épilepsie en quelques semaines à peine grâce à l'enregistrement en continu d'électroencéphalographie par des capteurs biométriques intégrés ; là, Brain TV, la télévision du cerveau, qui déjà faisait ses preuves pour aider les chirurgiens à effectuer des actes plus précis car plus sélectifs et plus efficaces ; là encore, des applications pour retarder les effets du vieillissement cérébral et accroître les capacités de mémoire, où des neurologues étaient associés à des consultants ainsi qu'à des responsables de Google et de Facebook, ce qui ne manquait pas de piquant en un temps où les moteurs de recherche sont une facilité et un encouragement à la paresse de la mémoire.

Même le Human Brain Project y avait sa place, malgré les controverses éthiques qu'il soulevait ; ce grand projet européen de simulation et de cartographie du cerveau visait à rassembler et à rendre accessibles toutes les informations sur les patients souffrant de maladies neurodégénératives, malgré les dérives à craindre, comme l'amélioration cognitive chez les sujets sains.

Deux dossiers étaient reliés par une sangle, l'un

intitulé *Trans*, l'autre *Post*. Les deux contenaient chacun un grand carnet à spirale dans lequel Klapman collait des coupures de presse relatives à des réunions de transhumanistes ou de posthumanistes, le tout truffé de lettres et de messages personnels sur lesquels des numéros de téléphones portables étaient griffonnés.

Il avait également découpé des articles dans les journaux qu'il avait collés dans des cahiers Clairefontaine à carreaux, procédé touchant, émouvant même, de la part d'un chirurgien parfaitement au fait des technologies les plus pointues. Des choses comme : « Fondamentalement, l'ordinateur et l'homme sont les deux opposés les plus intégraux qui existent. L'homme est lent, peu rigoureux et très intuitif. L'ordinateur est super rapide, très rigoureux et complètement con. On essaie de faire des programmes qui font une mitigation entre les deux. Le but est louable. Mais de là à y arriver. » Ou encore : « Je n'ai jamais cru que les robots pourraient faire des actions intelligentes. On dit : "Mais l'ordinateur sait jouer aux échecs !" Oui, ça prouve que les échecs sont un jeu facile, c'est tout. C'est dur pour les hommes, mais ce n'est pas dur en soi. » Certaines citations étaient signées d'un homme qu'il admirait, l'informaticien de génie Gérard Berry, inventeur du langage de programmation Esterel, professeur au Collège de France mais aussi régent de déformatique au Collège de 'Pataphysique ; d'autres, anonymes.

Son propre dossier se trouvait au bas de la pile. Il

caressa le grand «G» qui l'identifiait, mais au moment précis de l'ouvrir le noir total se fit brusquement dans la pièce, ainsi que dans les autres salles des archives. Pas d'éclairage automatique. Quelqu'un l'avait plongé sciemment dans l'obscurité. Pas de torche, pas de briquet, pas d'allumette. La lueur dégagée par son appareil photo était insuffisante. Il se dirigea à l'aveugle en rasant les murs, les mains en avant dans le vide, ne se fiant qu'à sa mémoire spatiale. Mais quand il crut parvenir à un interrupteur, une main s'y trouvait déjà qui l'actionna et rétablit la lumière. Effrayé, Meyer eut un mouvement de recul qui lui fit renverser un portemanteau.

«Je t'ai bien eu! plastronna le gothique en un éclat de rire plutôt baroque. C'est juste pour te rappeler qu'il est 5 h 12 et que les gardes sont relevés à 6 heures et qu'ils commenceront leur tour par ici. Nous, on dégage dans une demi-heure.»

Meyer retourna aussitôt à sa table. Pas question d'argent, de profit ni d'investissements dans son dossier. Il y avait bien le compte rendu minutieux des interventions du neurochirurgien pour soigner son épilepsie, l'exposé technique de la stimulation cérébrale profonde qui avait été pratiquée sur lui, la lourdeur du suivi postopératoire. Quand les médicaments s'étaient avérés impuissants à le soulager de ses crises, la décision avait été prise de lui implanter des électrodes dans des régions précises du cerveau, chaque électrode se composant de quatre fils isolés très fins terminés par

quatre contacts ; il s'agissait de cibler les foyers épileptiques et d'en enlever suffisamment pour enrayer les
crises sans enlever trop, afin de ne pas mordre dans du
tissu utile aux fonctions cognitives ; plus sélective, la
chirurgie avait été moins nuisible, ce dont il n'aurait
jamais trop remercié son ami. Le coût de son opération
avait été évalué à plus de trente mille euros, dont près
de la moitié pour les électrodes et le stimulateur. Le
chiffre était noté dans un coin précédé du signe symbolisant « environ ». Mais il n'y avait pas que cela.

Dans une sous-chemise, des documents faisaient
longuement état d'une intervention parallèle pratiquée
le même jour par Klapman sur Meyer. Quelque chose
d'inouï. À son insu, en l'opérant pour traiter son épilepsie, il avait également implanté une électrode dans une
zone saine ; le chirurgien avait non seulement augmenté sa capacité de mémoire, comme un vulgaire
disque dur d'ordinateur, mais aussi accru sa capacité
de traitement des informations. De quoi lui donner un
pouvoir de sélection de celles-ci dont les plus phéno-
ménaux des hypermnésiques étaient dépourvus. Meyer
était abasourdi par sa découverte. Comment lui, son
meilleur ami, avait-il été capable de… de… Il n'avait
pas de mot pour ça. D'autant que tout dans la docu-
mentation rassemblée dans ces dossiers indiquait bien
que le détournement à des fins non thérapeutiques des
implants cérébraux était illégal. En France, le Comité
d'éthique s'opposait sans ambiguïté à ce que l'on traite

ainsi le cerveau de sujets sains. Même si l'intervention était très ciblée et si ses effets demeuraient potentiellement réversibles, les motifs d'interdiction ne manquaient pas : un risque d'infection de deux à cinq pour cent, un risque d'accident vasculaire cérébral, sans parler de la question morale, d'autres risques encore dans le seul but d'améliorer les performances cognitives. Mais jusqu'où Klapman l'avait-il bricolé ?

En marge d'une lettre d'un laboratoire, Gustave reconnut l'écriture du médecin : « La mémoire de l'humanité ne risque-t-elle pas un jour d'être davantage contenue dans le silicium que dans les neurones ? » À croire qu'il confondait délibérément les traces et ce qui permet de les comprendre, le disque dur et l'intelligence, le cerveau reconstitué et le cerveau humain. Certaines des notes de son dossier étaient codées. Le temps manquait pour entreprendre de les déchiffrer en essayant différentes grilles. Des bruits de pas de plus en plus pressés lui parvenaient du couloir central. Probablement les junkies qui se sauvaient. Un mot revenait souvent, comme un mot de passe d'une page à une autre : *emet*, qui signifie « vérité » en hébreu. Il le regarda fixement, comme hypnotisé. Ce fut la dernière image qu'il emporta. En rangeant les dossiers dans le coffre-fort, Meyer comprit que l'orgueil de Klapman l'avait poussé à former une entreprise qui n'eut jamais d'exemple que dans la fiction et dont l'exécution n'aurait point d'imitateur dans la réalité. Cette folie, *superbia* insensée qui, dès sa jeunesse, l'avait si souvent poussé au mépris de tout et de tous, s'était définitivement emparée de son ami.

Klapman l'avait donc véritablement trafiqué à son insu. Nul doute que si le chirurgien en avait eu la compétence, Meyer n'aurait pas échappé à des implants rétiniens et cochléaires qui auraient également affûté ses sens. Comme tout grand maître international, il possédait en mémoire environ cinquante mille positions et schémas de jeu. Des milliers de combinaisons. Des résolutions de problèmes tactiques par milliers, un atout vital quand on sait que l'information est cruciale dans la préparation. Mais maintenant qu'il était augmenté? Un sentiment de vertige le terrassa assis et le rendit à son humanité. Cinq cent mille? Et pourquoi pas cinq millions? Il se gifla pour se reprendre. N'importe quoi, n'importe quoi, murmurait-il en prenant soin de remettre toute la pièce en ordre. À côté de ce qu'il était devenu, le fichier Polgar, toutes ces parties d'échecs patiemment découpées dans les journaux spécialisés par le père Polgar pour que ses filles deviennent des championnes, ces deux cent mille parties classées, archivées, indexées dans des armoires métalliques, relevait d'un sympathique artisanat. Combien de fichiers Polgar étaient maintenant encastrés dans son cerveau sans qu'il le sache?

Un morceau d'un vieux miroir tout tacheté pendait au mur à l'entrée du bureau de l'archiviste, là même où il raccrocha les gants stériles qu'il avait empruntés. Il se regarda pour la première fois depuis l'accident. Un étrange sentiment le traversa, comme s'il avait été dépossédé de lui-même et qu'il ne s'appartînt plus. En se rapprochant du miroir, il crut déceler des traces sur son front. Il le frotta énergiquement mais elles réapparaissaient : א מ ת, les trois lettres formant le mot *emet*, en hébreu.

Alors seulement il prit conscience du monstre que son meilleur ami avait fait de lui.

5

La librairie était pleine. Des gens du coin, des écrivains, des critiques, des étudiants, des curieux, quelques lycéens aussi. Certains venaient voir la bête, rançon de tout intellectuel médiatique ; d'autres, l'entendre ; il y en avait même pour l'écouter. Encore un de ces penseurs qui changent si vite d'avis qu'ils n'ont pas le temps de se tromper, murmura une dame en s'en allant déjà. Gustave Meyer prêta l'oreille et ne regretta pas d'être resté debout. Rien ne vaut une causerie dans une librairie pour fureter tranquillement dans les rayons. « Philosophie » d'abord, « Judaïsme » ensuite.

Un peu en retrait, un adolescent affalé sur un pouf tripotait une console de jeux vidéo. Ivre de sa puissance, il avait droit de vie sur des personnages et droit de mort sur des avatars. Non loin de la caisse, une vendeuse observait Meyer, le surveillait même, en tout cas c'est l'impression qu'elle lui donnait. L'avait-elle reconnu ? Il fallait se garder de toute paranoïa d'autant que son visage n'était connu que des amateurs d'échecs. Peut-être en était-elle. Peut-être le journal avait-il diffusé sa photo.

Inutile de lui demander un renseignement, de toute façon un rapide examen révélait de sérieuses lacunes en matière d'ouvrages sur la kabbale. Non la kabbale pour les nuls à destination des adorateurs de Madonna, mais quelque chose d'un peu pointu. De toute évidence, ce ne serait pas dans cette librairie ni dans une autre tout aussi généraliste, sa conviction était faite. Il s'apprêtait à quitter les lieux quand son coude gauche bouscula une pile de livres qui s'effondra à grand fracas. La vendeuse se précipita, quelques têtes de l'auditoire se retournèrent dans sa direction comme s'il avait osé troubler un séminaire de Lacan en toussant. C'est alors que tous assistèrent à cette scène inédite : un homme embrassant un exemplaire d'*Et si c'était vrai…* de Marc Levy en un geste naturel aussitôt après l'avoir fait tomber.

Au faisceau de leurs regards muets tous pointés vers lui il comprit que quelque chose n'allait pas. Mais comment pourraient-ils imaginer que ce n'était qu'un pur réflexe, hérité de son père, du père de son père et au-delà depuis des générations, après des siècles de prières à la synagogue où, par respect et pour se faire pardonner, l'on est éduqué à baiser «le» livre contenant les Écritures si l'on est responsable de sa chute ? Non, imaginer, ils ne pourraient même pas. Sa maladresse l'avait désigné. Un client qui feuilletait un livre s'adressa à lui :

«Vous savez, monsieur, en Algérie c'est la même chose : on n'utilisera pas le journal en arabe pour envelopper les légumes alors qu'on le fera avec le journal en français... Quand c'est sacré, c'est sacré...»

En croyant venir à son secours, il n'avait fait qu'obscurcir une situation déjà confuse. Gustave Meyer remit la pile en place et s'échappa de la librairie. Une fois dans la rue, il eut juste le temps de se retourner et, à travers la vitrine, d'apercevoir la vendeuse qui téléphonait déjà.

Une heure après, Gustave Meyer sortait du métro à la station Glacière, empruntait la rue du même nom et pénétrait dans la bibliothèque du Saulchoir. Ce nom lui était resté dans le creux de l'oreille depuis qu'il l'avait entendu cité et loué par la meilleure amie d'Emma du temps de ses études, lorsqu'elle s'y réfugiait pour préparer son mémoire d'histoire des religions. Une thébaïde en plein Paris ! Un lieu hors du monde ! Michel Foucault y a travaillé incognito ! Un fonds religieux inouï ! Elle ne manquait jamais de métaphores superlatives pour évoquer l'endroit. Et puis «Saulchoir», lieu planté de saules, est un mot suffisamment rare pour ne pas s'oublier.

Les dominicains, puisqu'on était ici chez eux, ne furent guère exigeants avec ce lecteur qui paraissait à distance de lui-même, et disait avoir oublié ses papiers d'identité chez lui à Saint-Quay-Portrieux. Le conservateur lui délivra une carte pour la semaine. On lui fit une place à une table commune occupée par des chercheurs laïcs et un seul religieux, un dominicain en tunique et scapulaire, en face de qui il s'assit. Une demi-heure plus tard, il disposa un mur de livres sur la kabbale devant lui, ainsi que sur sa gauche et sur sa droite. Une forteresse derrière laquelle il se mit à l'abri de la rumeur du monde.

Ce jour-là et les jours suivants, il s'immergea dans un univers qui ne lui était pas tout à fait étranger, mais dont il n'avait jamais perçu la profondeur vertigineuse. Un mot, un seul, guidait ses recherches : *emet*. Son mot-clé désormais. Sa culture biblique, établie de longue date sur des fondations solides par un commerce permanent avec les Écritures et leur exégèse, lui avait déjà permis de faire le tri.

De la kabbale, il savait surtout qu'il ne faudrait toucher à son livre que d'une main tremblante. Sa première expression littéraire, le Sefer Yetsirah ou Livre de la Création, ne se laisse pas facilement approcher. Nul ne devait prétendre s'y pencher avant l'âge de quarante ans sous peine de s'y brûler, bien que la source de cet avertissement demeure introuvable ; le Traité des pères le mentionne, en précisant que nul ne peut accéder à la sagesse avant cet âge, mais les deux plus grands kabbalistes, Louria et Lussato, n'étaient-ils pas morts avant, comme la plupart de leurs contemporains ? Ce livre, c'est du feu. Une langue, une musique, un chant dans un texte qui dépasse tout lecteur : plus on l'étudie, plus on sent qu'il est plus haut que soi. Gustave Meyer se retenait d'y toucher.

Après avoir emprunté une dizaine de pistes, il se résolut à une évidence, toutes ses lectures ramenaient au même point : la légende du Golem. À ce mythe qui a dominé l'imaginaire occidental et ne cesse d'interroger l'humain en l'homme.

Au commencement est le mot même. « Golem » est un hapax biblique. On ne l'y rencontre qu'une seule fois, dans le Psaume 139, 16*.

« Quand je n'étais qu'une masse informe, tes yeux me
   voyaient ;
Et sur ton livre étaient tous inscrits
Les jours qui m'étaient destinés,
Avant qu'aucun d'eux existât. »

Mais déjà, tous ne s'accordent pas sur son interprétation : l'hébreu *golem* doit-il s'entendre au sens de masse informe, de substance informe, d'embryon d'Adam, d'être non élaboré ou de créature à l'apparence humaine ? Autant dire un Adam inachevé, un Adam dans l'attente du souffle divin.

Le Sefer Yetsirah ou Livre de la Création puisa dans le psaume de quoi nourrir le mythe d'un homme artificiel. À force de commentaires dans lesquels la

* Traduction de Louis Segond.

pensée magique se mêlait au mysticisme se forma l'idée de sa constitution par des rituels indéchiffrables aux non-initiés. Jusqu'à ce que le Maharal de Prague, titre porté par Juda Loew, grand rabbin kabbaliste du seizième siècle, soit associé par la légende à la fabrication d'une créature de glaise. On racontait qu'il lui avait donné une apparence humaine et insufflé la vie par le verbe, grâce au procédé magique faisant appel aux saints noms de Dieu, en inscrivant *emet* sur son front au moyen des trois lettres hébraïques aleph, mem et tav. Doté d'une force herculéenne et d'une intelligence véritable, le Golem avait alors pour vocation de défendre la communauté juive du ghetto de Prague des pogroms qui la menaçaient. Indéterminé, il ne pouvait être qu'un monstre. Pour l'immobiliser, il suffisait au rabbin de retirer la lettre aleph de son front et *emet* devenait *met*, c'est-à-dire « mort ». Alors qu'il avait oublié de le réduire à l'inertie un soir de shabbat, le Golem s'échappa et fit des dégâts considérables dans la ville, ce qui força son créateur à le réduire à néant définitivement. On dit que son corps gît toujours dans les combles de la synagogue Vieille-Nouvelle de Prague, d'où il s'échappe parfois la nuit pour hanter les rues.

Depuis, la légende a connu une immense fortune. Elle fut adaptée, transfigurée, malmenée, massacrée, louée, commentée, déformée, reformée par tout ce que l'humanité lettrée compte d'écrivains, de religieux, de poètes, d'artistes, de savants. Innombrable est la descendance du Golem, monstre majeur de l'imaginaire des hommes et matrice des monstres de papier ou de pellicule. Jusqu'aux astrologues aux pratiques païennes qui insufflaient l'esprit dans les statues. L'ironie de l'histoire, c'est que la légende de l'homme créé par l'homme à l'aide des lettres du Nom sacré court dans toute la tradition juive depuis des siècles et des siècles, mais qu'elle est introuvable dans les écrits de celui auquel on l'attribue, le Maharal de Prague.

Un monsieur d'un certain âge, assis à sa gauche, avait observé Meyer. Il se tourna vers lui et, dans un sourire, avec un bel accent argentin plein de roulements de « r », lui demanda :

« Vraiment, vous avez tout lu sur la question ? Et Borges, vous avez pensé à Borges ?

— Non, je dois l'avouer, j'ignorais même qu'il avait écrit un livre sur le sujet.

— Pas un livre, cher monsieur, le reprit l'homme en un français de porcelaine au lexique précieux et à l'élocution lente, un poème plutôt, cher monsieur, intitulé "El Golem", publié pour la première fois en 1958 à Buenos Aires dans la revue *Davar* éditée par la Société hébraïque argentine, mais présent depuis dans toutes ses anthologies. Il est souvent cité alors que sa qualité poétique, ma foi, ne saute pas aux yeux car elle est alourdie par les références culturelles, les parenthèses intempestives et la volonté de rimer. Et pourtant, savez-vous, il est d'une rare puissance dans sa faculté de nommer les choses avec une acuité et une précision exceptionnelles. Vous ne partez pas tout de suite, n'est-ce pas?»

Sans même attendre la réponse, l'homme disparut en trottinant derrière des rayons. Il en revint quinze minutes après, un volume ouvert de la Pléiade à la main, l'air de la victoire dansant dans ses yeux. Il s'assit et se mit à lire avec un bonheur non dissimulé :

> *En la hora de angustia y de luz vaga,*
> *en su Golem los ojos detenía.*
> *¿Quién nos dirá las cosas que sentía Dios,*
> *al mirar a su rabino en Praga?*

Puis, d'un doigt posé sur une page, il enjoignit à Meyer de lire la traduction du quatrain, le dernier du poème :

«À l'heure où passe un doute à travers l'ombre vague,
Sur le pauvre Golem son regard s'arrêtait.
Saurons-nous quelque jour ce que Dieu ressentait
Lorsque ses yeux tombaient sur son rabbin de Prague?»

Ses biographes disent que Borges a appris l'allemand en lisant *Der Golem* de Gustav Meyrink. Mais dans cet instant de grâce à la bibliothèque du Saulchoir, Gustave

Meyer, lui, se sentait prêt à apprendre l'espagnol grâce à l'« El Golem » de Jorge Luis Borges.

Il lut tout ce que la bibliothèque comptait de livres, d'articles, de notes, de comptes rendus relatifs au Golem. Premier arrivé à l'ouverture, l'un des derniers à partir le soir, il lut à s'en déchirer les yeux dans le vain espoir d'en épuiser le sujet. Il n'aurait voulu en dire que des choses à l'écart de la signification ordinaire. Une réelle ambition de poète, mais il ne le savait pas.

Avant de partir, il se rendit aux toilettes. Les miroirs y étaient plus grands, plus propres, plus nets que la pauvre glace ébréchée du bureau de l'archiviste ; et la lumière, parfaite. Son corps lui parut suspect. Était-il vraiment fait de poussière, son créateur l'avait-il vraiment modelé dans la glèbe ?

Il ne doutait pas d'y découvrir un autre visage, une autre image de lui que ceux renvoyés lors de sa fameuse nuit de feu au Grand Hôpital. Le monstre qui lui apparut avait tout d'un humanoïde, il respirait même l'intelligence. Mais la lueur que renvoyait son regard était effrayante. Elle disait qu'il ne lui manquait qu'une âme pour faire partie de la communauté des vivants. Bien plus que dans son physique, c'est là que résidait sa monstruosité.

Ce soir-là, il quitta le Saulchoir dans un état de grande fébrilité. Il ne se sentait pas dans son état normal, mais qu'est-ce qui est encore normal lorsqu'on se découvre

trafiqué et trahi par son meilleur ami ? Vacillant, il dut
s'appuyer tant bien que mal à un arbre près de l'entrée
de la station Glacière.

« Ça va, monsieur ?

— Ça va passer, merci... C'est comme une très forte
migraine, la tête qu'on pilonne...»

En l'abordant, le jeune homme l'avait fait sursauter.
Une réaction de coupable qu'il se reprochait en se
frappant la poitrine du poing droit, la main étrangement refermée sur les franges de son écharpe de laine.
Surpris par ce geste, l'inconnu tenta de le rassurer, Je
me trouvais à la même table que vous tout à l'heure à
la bibliothèque, je me disais, enfin si je peux me permettre, peut-être que cela vous intéresserait de bavarder un peu, en tout cas moi cela me plairait vraiment
de parler de tout cela au bistro, là par exemple.

Considérant leur différence d'âge, et les manières
assez précieuses de cet inconnu, Meyer douta un instant de ses véritables intentions, mais fut vaincu à ses
premiers mots. La conversation fut plaisante, animée,
le garçon était loin d'être bête. Il travaillait sur les rapports entre science et religion, et plus particulièrement
sur les corrélats neuronaux des phénomènes mystiques ; il préparait une thèse sur «L'expérience religieuse du Casque de Dieu dans ses rapports avec
l'épilepsie du lobe temporal». L'information plongea
Gustave Meyer dans une grande perplexité et ne fut
pas du meilleur effet sur la céphalée qui le minait ; elle

ajouta même à la confusion dans laquelle il baignait. Même les statues du square manifestaient une certaine inquiétude. Il ne comprit pas tout de suite que leur échange n'avait pas dévié par hasard sur un sujet dont il ignorait tout. Quelque chose comme une nouvelle discipline : la neurothéologie, mot qu'il entendait pour la toute première fois.

Le jeune homme prit son attention polie et flottante pour de l'intérêt, aussi lui proposa-t-il de l'accompagner à une réunion de « gens concernés » sans que Meyer sût s'ils étaient eux-mêmes des médecins, des mystiques ou des malades, sinon les trois à la fois. Dans le doute, il préférait s'abstenir, la tension de sa journée d'études, et la fatigue, n'inclinant pas à l'aventure, mais l'inconnu insistait si gentiment qu'il se laissa faire, d'autant qu'on pouvait s'y rendre à pied.

Quinze minutes après, ils poussaient la grille d'une discrète allée donnant dans une rue proche du boulevard Arago, agréablement ombragée et fleurie en temps normal mais boueuse et verglacée ce jour-là, l'un de ces lieux authentiquement campagnards dont Paris a le secret qu'elle entend bien préserver. C'était une maison extravagante et délicieuse que l'on eût dite conçue par Pierre Loti pour lui-même. Aussitôt franchi le seuil, on s'y sentait de plain-pied dans une fiction d'Orient. Une vingtaine de personnes se trouvaient là debout qui bavardaient un verre à la main. Le maître des lieux était un personnage à part, décalé, à l'entregent aussi étendu que sa culture, un prince du goût, de la nuance et du raffinement, dont on disait qu'il décorait en permanence de ses mains chaque millimètre de cette maison, quand il ne suivait pas les cours et séminaires du Collège de France sur les milieux bibliques. Appelez-moi Jean comme tout le monde, mystérieux inconnu, servez-vous, la causerie ne va pas tarder à commencer, on n'attend plus que deux retardataires. Au vrai, Jean semblait plus proche de la théologie que de la neurologie, et pas vraiment convaincu par le rapport que la réunion était censée établir entre elles, mais il possédait cette élégance de l'esprit qui permettait de mettre sa maison à la disposition de ceux qui y croyaient. Une mondanité savante, c'est possible.

« Il me semble vous connaître, lui demanda un convive en s'approchant, d'une voix lente qui cherche et cherche mais ne trouve pas, la poignée de main proche d'une poignée d'eau, l'échine inquiète, la silhouette molle. Scientifique peut-être ?

— Pas trop », bafouilla Gustave Meyer, mal à l'aise dans ce milieu qui n'était pas le sien.

Ne pas s'excuser, ne pas se justifier. De toute façon, il avait intégré de longue date que les hypermnésiques comme lui sont perturbants en société à force d'être perturbés. Une tendance sans être une règle. Pas de quoi en avoir honte. La présentation du conférencier le sauva. Il en profita pour s'asseoir aussi loin que possible du parasite. En les observant tous et en les détaillant un à un, sa propre présence lui paraissait déplacée, mais laquelle ne l'était pas.

Ces gens étaient dans l'instant et rien d'autre. Ils ne manifestaient aucune nostalgie d'un temps où les hommes étaient des royaumes insoumis. À force de s'entraîner à se hisser au-dessus de lui-même, le champion en lui avait fini par s'accepter sans chercher à se couler dans un personnage. Enfin retiré de la tyrannie des apparences, il n'avait même plus envie de changer de contemporains.

L'invité d'honneur s'exprimait avec une aisance suspecte ; son discours paraissait trop bien rodé ; mais comme c'est souvent le cas chez les pédagogues à la vocation de propagandistes, il formait une sorte de mélodie enveloppante dont le sens finissait par échapper ; le genre de démonstration qui pouvait durer une ou dix heures sans que cela n'y change rien. Universitaire rompu à ce genre d'exercice, neurologue frotté de psychiatrie à moins que ce ne fût l'inverse, cela ne parut pas très clair, il avait fait le voyage du Connecticut tout exprès, du moins le prétendait-il, procédé éculé destiné à flatter son auditoire. De même eut-il l'habileté de rendre hommage au grand Aldous Huxley, et de se ranger donc sous son aile protectrice ; mais si celui-ci avait bien été le premier à user du néologisme « neurothéologie » dans un roman de 1962, il se retrouvait désormais instrumentalisé par des sociétés de pensée qui avaient tout de sectes.

Quel babil... De flottante, l'écoute de Meyer devint

absente. En fait, il refaisait mentalement, encore et encore, la partie Tal-Vasiukov à Kiev en 1964 en imaginant ce qui se serait passé si, pour s'échapper de l'incroyable labyrinthe qu'était devenu l'échiquier, le sacrifice du cavalier n'avait pas été la clé du tournoi. D'innombrables parties d'anthologie le hantaient mais celle-ci recelait un charme secret, une énigme inentamée, une beauté cachée qui le fascinaient. Rien de mieux pour s'éloigner d'une société à son insu.

Pendant ce temps, l'éminence des neurothéologues manifestement passionnés les berçait d'un chant dont les paroles assemblaient selon un agencement provisoirement définitif des expressions telles que catégories ontologiques, extase mystique, hallucinations visuelles, schémas cognitifs, aire de l'attention, VMAT2 / vesicular monoamine transporter 2 / gène de Dieu, sentiment divin, sécrétions des neurotransmetteurs, stimulation religieuse, influx sensoriel, flashs lumineux, sentiments de déjà-vu, gène du zen... D'ailleurs, il déçut un peu ses auditeurs en convenant que ses travaux avaient davantage de résonance chez les bouddhistes que chez les chrétiens, l'enthousiasme actif du dalaï-lama en témoignait. Au vrai, Meyer jugeait assez fumeuse la quête biologique de Dieu, et ne s'étonnait pas de l'absence de toute validation scientifique. Une seule expérience, parmi toutes celles rapportées par le conférencier, le séduisit : elle avait été tentée avec un millier de sujets volontaires afin de prouver que les infrasons semblables à ceux produits par les orgues des églises permettent, grâce à leur acoustique particulière, d'accroître le sentiment religieux des fidèles en jouant tant sur leur corps que sur l'éveil de leurs zones émotionnelles. « La Mantovina », qui obsédait Gustave Meyer depuis le début de sa fuite, n'avait rien de mystique et ne l'avait pas engagé dans la voie d'une conversion, mais sa puissance d'évocation augmentait en lui. N'était-ce pas sa mélodie que ses voisins de chaise l'avaient surpris en train de fredonner ?

Le maître des lieux donna enfin le signal des applaudissements, ce qui offrit aux invités l'occasion de se lever, au savant soliloque de se muer en un colloque informel et à l'importun de revenir à la charge. Meyer refusa de s'y mêler pour ne pas être tenté de confronter l'orateur à ses erreurs ; dans les débats, il avait pour habitude de ne pas la ramener, de ne pas user de ses capacités de mémoire pour contredire publiquement, ce qui serait reçu comme une humiliation ; or, dans sa démonstration sur le rapport entre l'émotion religieuse et l'amplitude des orgues, il s'était trompé sur la longueur du canon à infrasons et la très basse fréquence qui avait été utilisée ; Gustave avait lu le compte rendu original de l'expérience dans l'un des dossiers du coffre-fort à l'hôpital, en avait enregistré chaque détail technique, mais à quoi bon. Sauf à lui permettre de fuir l'importun qui se dirigeait à nouveau vers lui, mais trop tard.

« En fait, il est possible que j'aie vu votre photo quelque part, mais où… Vous écrivez des livres, non ?

— Vous devez confondre, désolé », dit-il sèchement en cherchant le lecteur du Saulchoir qui l'avait amené dans ce guet-apens.

L'homme resta en plan, regard vide et physique avantageux, réduit à promener sa pochette dans l'assistance. Son regard fut attiré par une belle table ancienne en acajou au plateau marqueté d'un échiquier. Les figurines sculptées représentaient des Romains et des Barbares. Après en avoir caressé une, puis deux, son front se plissa soudainement. Il se retourna d'un mouvement brusque et chercha en vain l'inconnu qui avait déjà disparu.

Alors qu'il traversait au vert à l'angle de la rue de la Santé et du boulevard Saint-Jacques, une voiture qui roulait à grande vitesse manqua de peu de l'emporter, ses pneus ayant patiné sur la glace. Pas mon heure, se dit-il, pas plus choqué que cela. De toute façon, sans s'imaginer vieillir en retraité précautionneux et encore moins en apparatchik des échecs, il se voyait mourir tel Job, recru de jours et comblé d'événements. Mourir quand il aurait fini de vivre. Faut-il se sentir protégé pour appréhender le danger avec une telle sagesse.

Son extrême lucidité sur lui-même, que nul ne devinait si douloureuse, avait toujours donné à Gustave Meyer la possibilité de se fixer ses limites et de savoir jusqu'où les dépasser. Perturbé comme il l'était par tout ce qu'il avait vécu ces derniers jours, profondément marqué par ses lectures du Saulchoir et les perspectives qu'elles lui ouvraient, il jugea que c'était assez pour sa carcasse d'homme, fût-elle monstrueuse.

Il cherchait le mot de passe permettant de circuler du monde visible au monde invisible et surtout d'en revenir, et ne trouva que le sacré partout où il se cache. Or l'humilité de l'homme qui s'y tient suffit à conférer à n'importe quel lieu son caractère profondément sacré. Nahman de Braslav disait que le sacré n'est ni au ciel ni sur terre mais entre les deux. Ne lui restait plus qu'à descendre tous les jours un peu plus dans ses propres abîmes au risque de s'enténébrer.

Désormais, il en savait beaucoup plus sur la créature de Prague, mais qui peut dire qu'il sait quelque chose du Golem ? Comme lui, il marchait dans la ville la nuit et passé le coin de la rue devenait invisible. Au-delà, celui que sa culpabilité officieuse condamnait à se dissoudre aux yeux du monde demeurait ce à quoi les circonstances l'avaient réduit : un homme en fuite qui se protégeait pour persévérer dans son être.

6

Ce matin-là, une effervescence inhabituelle régnait au bureau 323 du troisième étage de la police judiciaire. L'équipe de Nina assistait à une rencontre atypique, inventée et organisée par son chef, dont l'issue semblait rien de moins qu'incertaine, entre deux personnes qui ne se seraient jamais rencontrées sans son initiative : le meilleur expert en informatique délégué par la grande maison et un grand maître international d'échecs. Son idée était de confronter leurs savoirs, leurs intuitions, leurs techniques, pour anticiper les mouvements de Gustave Meyer. Réussir à le localiser enfin par des moyens plus fins que ceux, classiques, éprouvés mais inopérants, de l'enquête policière. Excitant mais hasardeux.

Elle les avait assis de part et d'autre d'une table sur laquelle étaient disposés un ordinateur et un échiquier. Un lieutenant de police, le seul qui ait eu quelques connaissances de la science de l'un et de l'art de l'autre, était chargé de répercuter les résultats sur un grand tableau noir et vierge.

« Je vous rassure, il s'agit pas de vous faire jouer une partie contre un ordinateur, prévint Nina en tenant Max Osterman par le coude, par égard pour son âge, peut-être.

— Mais je ne suis pas inquiet, madame le commandant, la rassura l'ancien champion dans un sourire bienveillant. Le fils ou le petit-fils de Deep Blue ne m'effraient pas du tout. Ce sont des robots, ils n'ont rien à voir avec nous. Et puis quoi : Deep Blue a gagné grâce à sa puissance de calcul, disons entre cent et trois cents millions de positions à la seconde, grâce aussi à sa bibliothèque d'ouvertures, mais il était faible en stratégie. Deep Blue, c'était juste une machine à calculer avec des microprocesseurs. Une brute, voilà ce que c'était. Sa victoire sur Kasparov a surtout permis à l'action IBM de grimper d'un coup à la Bourse. »

En tapotant le clavier de son ordinateur, l'informaticien rappela que, par sa faculté d'adaptation, le cerveau est bien supérieur à la machine, rigide par essence, dénuée de toute fantaisie et de tout ce qui peut permettre d'affronter l'imprévisible.

« Nous, si j'ai bien compris, reprit le grand maître, c'est un homme que nous recherchons, et cet homme, je le connais et je le respecte depuis longtemps. Mais je ne voudrais pas qu'il lui arrive malheur à cause de moi…

— Pas la question. La justice nous le réclame car il est le principal suspect dans l'affaire que vous savez.»

Après qu'elle eut retracé les grandes lignes de l'enquête, et convenu de la faiblesse du dossier, Nina les laissa parler en roue libre. Une heure durant, les deux spécialistes échangèrent des hypothèses sur ses mouvements supposés. Des noms et des croquis surgissaient de temps à autre sur le tableau. Ça ronronnait. Il était temps de passer à la vitesse supérieure.

Nina expliqua que le temps pressait.

«On craint qu'il fasse des dégâts.

— C'est un violent? demanda un policier.

— Sa force, c'est sa mémoire, et c'est une arme, souligna-t-elle sans se douter un seul instant que celle-ci excédait de loin les capacités hors du commun généralement accordées aux hypermnésiques.

— Mais c'est quoi ce type, un autre Bobby Fischer?»

Alors l'ancien champion d'échecs, esquissant un sourire, se tourna vers lui :

«Plutôt un autre Glenn Gould. Même genre de type.»

C'est peu dire qu'il déconcerta en le comparant au plus excentrique des grands pianistes. Les deux chantonnaient, mais au-delà? Il n'allait tout de même pas se lancer dans un parallèle entre l'absence de legato chez le musicien et le double sacrifice des fous chez le joueur. Et pourtant, c'était tout à fait ça. Il y eut des voix pour demander timidement s'il ne fallait pas chercher les clés de sa personnalité du côté de Zweig ou Nabokov, références classiques des amateurs, mais ils en furent pour leurs frais. Le vieux champion, un adepte du pas de côté qui disait ne jamais voir mieux le réel que de biais, leur enjoignit de lire plutôt *Le Maître* de Kawabata pour la partie au sommet entre le vieux maître et le jeune disciple, l'éthique contre les chiffres, l'un symbolisant le monde qui s'efface et l'autre le monde qui vient.

« C'est un tournoi de go et non d'échecs, et alors ? »
Certains policiers s'impatientaient.
« Mais alors, c'est qui ce type qui nous échappe ?
— Meyer ? fit le joueur d'échecs. Un pur. Pas un truqueur. La guerre, oui, mais pas sans la beauté du geste. Gagner, oui, mais pas sans l'élégance du vainqueur. Jamais humilié personne. On ne l'a même jamais entendu dénigrer un joueur, et ça, croyez-moi, dans notre milieu, c'est exceptionnel. »

Alors le vieux maître se lança dans ce qui aurait pu être le récit d'un rêve éveillé. Le regard souriant et lumineux, il racontait une histoire qui n'était pas que la sienne : à un certain niveau de jeu, on se sent hors du monde, le fait est qu'on se trouve hors du monde, dans une zone grise, inaccessible au commun. Rien à voir avec la conviction d'appartenir à une élite, une aristocratie de l'esprit ; plutôt le sentiment de flotter dans un entre-deux où l'on croisera de rares élus parmi les hommes. Mais c'est un monde brutal. Il faut annihiler la volonté de l'autre. Le détruire. Car oui, c'est bien d'une guerre qu'il s'agit aux échecs, c'est la guerre. «Gustave est un doux, un gentil ; mais mettez-le derrière l'échiquier et il devient un tueur. Il en a le regard. Sa pulsion de mort s'y concentre avec une intensité surnaturelle. Vous savez, il y a quelque chose de monotone dans les échecs. Il faut pouvoir supporter ça huit heures par jour...»

Outre les qualités humaines de Meyer, Max Osterman ne dissimulait pas son admiration pour ses facultés de concentration, de mémoire et de calcul qui lui donnaient une exceptionnelle vision mentale du jeu. Pour une intelligence qu'il ne confondait pas avec un logiciel hypersophistiqué. Sa mémoire surtout. Il y revenait encore. Curieusement, alors qu'il soulignait le bond exceptionnel qu'elle avait accompli depuis quelques années, nul ne réagit parmi les policiers. Les observateurs du circuit échiquéen en avaient été sidérés, lui-même n'en revenait toujours pas, mais cela ne faisait qu'augmenter leur admiration à tous. On l'avait sollicité, lui le grand Max Osterman, pour son art de la prévision et pour qu'il les aide à imaginer ce que s'apprêtait à jouer Meyer, mais que croyaient-ils, qu'il suffisait de projeter la défense berlinoise de la partie espagnole qui avait été son coup d'éclat au tournoi de Séville en 1997 pour le coincer ? Et s'il préparait l'un de ces coups dits invisibles qui surprennent d'autant plus qu'ils transgressent des règles que l'on croyait absolues ?

« De toute façon, il aura toujours dix coups d'avance sur vous. Alors vous aurez beau anticiper, il n'appartient pas au même monde que vous. »

Au fond, depuis un moment, ce n'était pas des échecs qu'il leur parlait mais de l'étoffe des rêves dans laquelle se drapent les joueurs. Emma aurait apprécié le portrait de son père, mais l'enquête piétinait. De tout l'échange, Nina n'avait conservé qu'un mot : « imprévisible ». Elle faisait les cent pas, le regard bas, en le répétant. À quoi bon convoquer des experts de l'anticipation si l'objet de leur quête était l'inattendu même. Elle ne soupçonnait pas à quel point il était plus que cela encore, mais c'était préférable : comment arrêter un homme dont le souffle vient de loin ?

« Il a impérativement besoin de s'entraîner, dit le maître.

— Vous voulez qu'on écume tous les clubs d'échecs ?

— Inutile. Il s'entraîne en ligne. À ce niveau-là, on ne cesse de répéter et de rejouer les grandes parties pour en analyser les failles. Ce qui compte, ce n'est pas le nombre d'heures passées mais la régularité, tous les jours un peu. Meyer, à force de combiner d'innombrables coups à l'avance, c'est quelqu'un qui se projette loin dans le futur. Vous n'êtes pas au bout de vos peines...

— Merde ! Il est où ce mec ? »

Nina perdait patience. Leur expérience dans la traque de délinquants professionnels et de criminels récidivistes s'avérait inutile lorsqu'il s'agissait d'un amateur au casier vierge et aux réactions inattendues. L'enquête tournait en rond. Deep Blue, Glenn Gould, Kawabata, tout cela lui échappait et, parce que cela lui échappait, lui tapait sur le système. L'informaticien, qui avait tout le temps gardé un œil sur son ordinateur, sortit de sa réserve :

« Tout de même, une chose m'intrigue : le blog de sa femme...

— Son ex-femme, le corrigea aussitôt Nina. Medicart, eh bien ?

— Il est toujours en activité. L'interruption a été de courte durée. »

Les policiers firent cercle derrière lui tandis qu'il faisait défiler les billets, montrait les dates du doigt. C'était toujours le blog du docteur Marie Meyer, la signature et la photo en haut à droite l'attestaient ; son actualisation permanente apportait comme un démenti à sa mort. Surtout, il n'y avait pas de hiatus entre les nouveaux et les anciens articles : même style, même qualité de l'information, mêmes sources avouées et inavouées.

« Cela ne signifie pas qu'elle est en vie, évidemment, mais que quelqu'un s'est introduit dans son back-office, qu'il ou elle a pris le contrôle de l'outil de gestion du site et qu'il ou elle l'administre. Mme Meyer avait probablement stocké un certain nombre d'éléments qu'elle comptait mettre en ligne.

— Vous pourriez y accéder ?

— Il me manque des codes. En revanche, pour ce qui est de la nef des fous, le forum des commentateurs, là je peux travailler. »

Et comme ses adjoints ne cessaient de demander si on finirait un jour par mettre la main sur l'insaisissable avant sa dissolution complète et après bien des catastrophes annoncées, Nina lâcha à voix basse un « Il suffit de le vouloir... » dont les points de suspension résonnèrent au creux d'un long silence.

Interrogée plus tard dans la journée, Emma nia tout en bloc. Non, elle n'était pas entrée dans le blog de sa mère. Non, elle n'avait aucune idée de qui pût être l'intrus. Non, elle n'avait reçu aucune nouvelle directe ou indirecte de son père. Et non, décidément, elle ne leur dirait rien, ni à eux ni à elle, de l'angoisse qui la minait depuis sa disparition, car ces choses-là ne se partagent pas, du moins pas avec des étrangers. Pourtant, elle sentait qu'il n'était pas si loin.

Emma s'était recroquevillée depuis le début de l'affaire. Après une longue cohabitation avec un homme un peu plus âgé qu'elle, bien sous tous rapports mais qui s'était avéré immature en maintes circonstances, elle avait décidé que ce seul défaut le dévirilisait tant qu'il fanait ses qualités ; depuis, trop impatiente pour attendre qu'il grandisse, elle vivait seule dans son deux-pièces mansardé du XVIIIe, non loin de son père, et ne s'en plaignait pas ; la salle de krav-maga, où elle s'entraînait régulièrement à l'autodéfense à la suite d'une méchante agression, se trouvait tout près. Le bureau de sa société était également à proximité, mais de toute façon son vrai bureau ne se situait ni là ni chez elle mais dans son ordinateur. Il la suivait partout, elle le promenait sur son dos comme un bébé, et plus encore depuis l'accident et ses suites policières. Au vrai, Emma menait sa propre enquête parallèle. Ses atouts ? Une connaissance directe, intime, intérieure, de la victime, du coupable supposé et même du jeu d'échecs, bon sang ne saurait mentir. Elle seule devinait que son père craignait moins le jugement d'un tribunal que le reflet d'un miroir.

Possédant l'essentiel, ne lui manquait que le super-flu.

Parfaitement inconscient de la qualité du filet que la police avait déployé autour de son ombre, Gustave Meyer n'avait toujours pas quitté la capitale. Il n'essayait même pas d'effacer ses traces. À mesure qu'il découvrait l'ampleur des manipulations du professeur Klapman, sa naïveté s'émoussait. Toute une amitié revisitée, remise en cause, révisée. Depuis l'accident qu'il avait provoqué, ses propres réactions le surprenaient.

Pourquoi avait-il ressenti ce matin-là l'impérieuse

nécessité de se faire tatouer ? Peut-être parce qu'un robot ne se fait pas tatouer. Son pied de nez secret à celui qui voulait le transformer en machine pensante, il n'avait même pas cherché à se l'expliquer. Le patron de son petit hôtel s'avouant incapable de le renseigner, on fit appel à sa fille, personnellement concernée si l'on en jugeait par les motifs effrayants qui s'échappaient de son cou.

« Oh là là, mais vous savez qu'il faut prendre rendez-vous, parce qu'ils sont très sollicités, ces artistes de la piquouse ! Il faut leur envoyer le dessin avant et tout... Et puis le style. C'est quoi votre style préféré : marin, manga, celtique, tribal ? Moi, je vous verrais bien *old school*...

— Pas de dessin. Je veux juste quelque chose comme une inscription.

— Alors ça ira plus vite. Il vous faut Jonathan, un spécialiste du lettrage et de la typographie, formé par Tin-Tin et par Maud...

— Tintin ?

— Une légende du milieu. Pas de meilleure école, vous verrez. Jonathan est à son compte maintenant, du côté de Pigalle. Niveau style, plutôt *free hand*, vous voyez. J'espère qu'il est là, parce qu'ils n'arrêtent pas de voyager dans leur métier. Je vais le prévenir. Monsieur ?

— Heu... Gus. »

Tatoué, lui ! En temps normal, le projet lui aurait paru extravagant. Mais qu'est-ce qui était encore normal? Une force intérieure le poussait à accomplir des actes, souvent anodins, dont il ignorait la motivation. Il lui fallut franchir le seuil de la boutique pour se poser la question, mais trop tard. Un panneau l'avait fait sourire : « Merci de venir sans vos bébés et enfants, même en poussette. Le jour du rendez-vous, seule la personne qui se fait tatouer est habilitée à entrer dans la cabine avec le tatoueur pour une question d'hygiène et de place, donc inutile de venir avec toute la famille ou les amis. » Emma en aurait ri et ils auraient plaisanté sur la présence d'une poussette dans un pareil endroit. On le fit patienter. Le téléphone n'arrêtait pas de sonner. Nul doute que c'était un métier d'avenir. Un homme d'une quarantaine d'années à l'imposante carrure était assis en face de lui ; lorsqu'il retira son anorak puis son pull de laine torsadée et qu'il se retrouva en marcel, les scènes de guerre qui couvraient toute la partie visible de sa peau stupéfiaient par le réalisme de leur violence. Son corps devait être un champ de bataille. Meyer ne quitta le spectacle de ce tableau de genre que pour tenter de capter son regard : il semblait si fort ne croire en rien que face à lui on se sentait coupable de croire en quelque chose. Jonathan apparut enfin. Il l'installa confortablement dans une cabine.

« Vous allez avoir le temps de regarder un film. J'ai tout ici », dit-il en tapotant son ordinateur.

Le fait est que des réseaux de correspondants le connectaient avec un grand nombre de sites de téléchargements illégaux spécialisés dans le cinéma des origines à nos jours. Une banque de pellicules inépuisable.

« Même la cinéphilie ? tenta Meyer avec une pointe de naïveté.

— Même !

— Alors *Le Golem* de Paul Wegener dans la version de 1920. »

Le jeune homme tapota un instant son clavier et, sur le ton du fier sportif relevant un défi, annonça :

« *Der Golem, wie er in die Welt kam* ! C'est bien cela ? »

Puis, se livrant au strict rituel des règles de l'asepsie, il désinfecta ses instruments de travail avec un pulvérisateur et stérilisa les buses en acier avant d'enfiler des gants de chirurgien. Lorsqu'il s'informa de la nature de son tatouage, il ne parut pas surpris par la demande. Comme si, en la matière, il avait déjà tout lu, tout vu et tout entendu. Le souhait de Gustave Meyer était des plus simples : un mot en lettres carrées sur la face antérieure de l'avant-bras gauche, un autre en lettres rondes sur celle de l'avant-bras droit. Jonathan chercha quelques modèles sur des sites, rasa de frais les parties de peau concernées et se mit au travail.

« Je vous mets un casque sur les oreilles au cas où le bruit du dermographe à bobines vous gênerait.

— C'est un film muet. »

Bien calé sur sa chaise, Gustave Meyer oublia durant près de deux heures la présence du tatoueur. C'est à peine s'il ressentait les piqûres incessantes des aiguilles qui envoyaient de l'encre entre le derme et l'épiderme. La découverte du film estompait toute douleur.

Quel objet étrange, tout enrobé dans la puissance des ténèbres. Hollywood y était annoncé dans un mélange de Walt Disney et de King Kong. Des Juifs, ce peuple de lutins et de gnomes? Ne manquaient plus que les fées! Dieu n'y était guère évoqué, trois fois à peine, et encore sous le nom ridicule de Jéhovah. Pour le reste, le judaïsme y relevait de la pensée magique, du surnaturel et des esprits maléfiques. La réalité y était tordue sur un mode esthétique typique de l'expressionnisme et du cinéma fantastique allemands. De ces ombres disproportionnées, ces clairs-obscurs violents, cette atmosphère oppressante, ces visages pleins d'effroi, cette ambiance de cauchemar, ces visions hallucinées, il se dégageait une inquiétude qui réussissait à passer l'épreuve du temps et captivait le spectateur un siècle après. C'était inavouable mais un sentiment fraternel le liait désormais à la créature monstrueuse. Il sourit en constatant que ce géant à la carrure imposante portait des chaussures à semelles largement compensées.

« Vous avez l'air inquiet? demanda le tatoueur.

— Oh pardon. Vous aviez fini?

— Vous sembliez être parti dans un rêve éveillé depuis la fin du film. Je ne voulais rien gâcher. Une question, je peux? »

Meyer hocha la tête.

«Pourquoi ce tatouage? Il est étrange. Personne ne me l'avait encore demandé.

— Vous avez vu *La nuit du chasseur*?

— Euh...»

D'autorité, Gustave Meyer se tourna vers l'ordinateur du bureau allumé juste derrière lui. Il pianota. Une photo apparut sur l'écran : cadré en plongée, Robert Mitchum y souriait, ses deux mains posées au premier plan sur la barrière en bois d'un jardin ; sur l'aplat des doigts de la gauche les lettres «LOVE» se détachaient, sur l'autre, les lettres «HATE».

«Je vois... Vous êtes chasseur?

— Ou chassé, qui sait... Vous avez vu le monstre dans le film?

— Aperçu seulement.

— Vous nous trouvez un air de parenté?»

Faut-il être mordu pour rester assis des heures durant dans un immense jardin public au cœur d'une ville glacée par les dernières gifles de l'hiver... On trouve des échantillons de cette pathologie chez les échiquéodépendants du jardin du Luxembourg à Paris ; manifestement moins atteints, les bridgeurs guettent le retour des beaux jours pour s'attabler à côté d'eux. Emmitouflés et gantés, les pousseurs de bois installés depuis des années près de l'Orangerie s'y rejoignent informellement tous les jours à toute heure toute l'année. Dans sa jeunesse, du temps où Gustave Meyer passait s'y arrêter après ses cours au lycée, les joueurs apportaient leur propre matériel, disposé en équilibre sur des chaises par eux réquisitionnées, que la chaisière avait du mal à se faire payer. Depuis, le Sénat, propriétaire des lieux, a dévolu à cet effet six tables à demeure.

Ce jour-là, malgré le temps, ils étaient bien une douzaine à se réunir autour des plateaux en lave émaillée, à *visser* leurs pièces sur les cases blanches ou sépia, à pester en tapant contre le pied en fonte. Camouflé par son écharpe, caché sous son chapeau, dissimulé derrière ses lunettes teintées, Meyer était méconnaissable. Il se posta debout derrière un joueur qui disputait une partie de blitz, la double horloge à portée de la main. Celui-ci, mal parti sur une ouverture douteuse, paraissait indécis et nerveux, jetant des regards inquiets à la trotteuse. Un autre spectateur, le seul Noir de l'attroupement, sourit en désignant la pendule d'un geste las :

« Vous les Européens, vous avez la montre ; nous, en Afrique, nous avons le temps. »

Et il s'éloigna vers une autre table. Meyer se pencha à l'oreille du joueur et murmura quelque chose. Pour ne pas se déconcentrer, celui-ci ne se retourna même pas, secoua la tête de gauche à droite, réfléchit un instant et se résolut à sacrifier son cavalier. Le coup d'après, l'autre était mat.

Il chercha son sauveur et le retrouva un peu plus loin,

dans le territoire des amants, là où s'échangent les premiers baisers, face à la fontaine Médicis où Polyphème surprend Galatée dans les bras d'Acis. Il lui lança un «Merci!» sonore et vibrant en s'asseyant à côté de lui; et en l'absence de toute réaction, comme s'il n'avait pas été entendu, il enchaîna en se balançant légèrement :

«Vous savez, rien n'est aussi déstabilisant que du jamais-vu. Et ce coup-là, j'ai l'impression qu'il n'avait jamais été fait. Je me trompe?

— Non, vous avez raison.»

L'homme pâlit, faillit tomber à la renverse et posa sa main sur sa bouche :

«Gustave, c'est toi?»

Comme Meyer demeurait figé sur sa chaise, il mit un certain temps à comprendre qu'il s'agissait bien de son ami, identifié par son grain de voix et, rétrospectivement, par sa technique des fins de partie.

«Ça alors... Je n'en reviens pas. On te croit tous en fuite très loin, on ne pensait même pas te revoir.

— Mais je n'ai rien à me reprocher, mon vieux Sergio. Fuir, ce serait un aveu de culpabilité. Or il n'y a aucune raison.

— Bien sûr, bien sûr.»

Comme Meyer se levait, son ami lui emboîta le pas aussitôt, se pressant par habitude car il était beaucoup plus petit. Ils empruntèrent la grande allée pour obliquer ensuite vers le kiosque à musique.

« Sergio, tu te souviens quand on s'est connus à la Tour blanche, on est vite tombés d'accord sur une même définition de l'amitié...

— Deux solitaires ensemble ?

— Pas seulement.

— Ça y est, ça me revient : un ami, c'est quelqu'un à qui on peut téléphoner à minuit pour lui demander de nous aider à transporter un cadavre et qui le fait sans poser de questions. »

Sa définition fut suivie d'un hochement de tête, qui le rassura, et d'un long blanc entre eux, qui l'inquiéta.

« Un cadavre ?

— Des papiers. Il m'en faut. Très rapidement. Choisis le nom et la nationalité, prends la photo maintenant avec ton téléphone.

— Tu sais bien que je ne fais plus ça, enfin presque plus.

— Alors inclus-moi dans ce presque.

— Mais alors, tu t'enfuis ? »

Meyer accusa le coup. Il s'arrêta net, retira ses lunettes et le regarda droit dans les yeux.

« Non : je voyage. Je vais rechercher ma famille. Et je trouverai qui a tué Marie et pourquoi. J'aurais également besoin d'argent. Je ne te demande pas de m'en prêter mais de m'aider à en gagner. Tu vois ce que je veux dire ? »

Son ami paraissait convaincu. Il réfléchit un instant, se saisit de son téléphone, enjoignit à Meyer de se débarrasser de tout ce qui le dissimulait et fit un portrait. Puis il tapota quelques minutes sur son écran et se brancha sur un réseau de joueurs.

«Demain 21 heures. Rue d'Annam, tu descends l'escalier et tu trouves en contrebas la rue de la Bidassoa. Un grand immeuble en brique rouge. Je t'attendrai devant.»

Les tournois, il les avait tous faits depuis ses débuts dans son adolescence. Il avait eu droit à tous les lieux communs, le Mozart des échecs étant le pire. Il disait que les choses changeraient le jour où un génie précoce de la musique serait surnommé l'Alekhine du piano, mais ce jour-là n'arriverait pas, il le savait. Championnats nationaux et internationaux, championnats du monde, mémorial Tal, tournois, défis... Ainsi gagnait-il sa vie. En enchaînant en public parties rapides, semi-rapides, longues, blitz, simultanées. Juste pour gagner de quoi subvenir à ses besoins durant l'année sans jamais se prêter aux exigences des mécènes, afin de mieux demeurer indépendant et insensible aux pressions. Puis il se retirait. Mais depuis un certain temps, il ne se produisait que rarement. Des chroniqueurs pointaient la lassitude, d'autres la crainte d'affronter des joueurs mieux placés au classement Elo. À partir de 2500, c'est du sérieux. Un club très fermé de maîtres et grands maîtres internationaux. Des titres décernés à vie. Ils sont près de trois mille maîtres. L'élite de l'élite.

Au-delà de 2700, le Saint des saints où trônent les grands maîtres, guère plus d'un millier.

Les deux hommes arrivèrent rue de la Bidassoa à quelques minutes d'intervalle. On sentait l'artère désertée depuis peu, les immeubles de bureaux à peine vidés de leurs occupants, le personnel en fuite vers ses métros et ses trains. Un silence ouaté enveloppait les lieux, de cette qualité particulière de silence qui fait suite à l'agitation de la journée, sédimenté sous les paroles et le bruit. Leur mutisme lui accordait un étrange relief.

Alors qu'ils marchaient, Sergio en profita pour glisser discrètement les papiers demandés dans la poche du manteau de Gustave ; celui-ci la tapota avec délicatesse et, sans s'arrêter, se pencha pour déposer un baiser sur le front de son ami. Ils se rendaient à un tournoi clandestin. Après l'avoir conduit à travers un dédale de rues, Sergio manipula le digicode d'un immeuble des années soixante. L'atmosphère du loft était confortable sans ostentation. Quelque chose d'un luxe bobo rendu glauque par la lumière de couvre-feu. Un luxe acheté et sans vie. Une trentaine de personnes étaient éparpillées ; quelques-unes jouaient aux échecs dans un épais halo de fumée, d'autres aux cartes.

Meyer se débarrassa au vestiaire mais conserva ses lunettes et son chapeau. Il observa les gens et ne regretta pas d'avoir toujours refusé de participer à ce genre de soirées. Cette faune, qui s'apprêtait à parier gros, adoptait le même détachement que s'il s'agissait d'un combat de *free fight* dans un hangar pourri ou d'une partie de poker dans une arrière-salle miteuse. Ils auraient joué sur n'importe quoi. Certains n'avaient peut-être aucune notion des échecs. Des collectionneurs d'art contemporain qui s'encanaillaient, voilà à quoi ils lui faisaient penser. Un caricaturiste n'aurait pas eu à forcer son talent pour rendre l'ambiance. L'argent circulait de table en table. Que des grosses coupures par liasses. Sergio revint vers lui avec des mines d'ambassadeur.

« On me demande ton classement ?

— Dis que je n'en ai pas.

— Et ton chapeau, tu comptes le garder ?

— Aucun règlement ne l'interdit. »

Sergio s'était porté caution pour son ami non sans une légère appréhension ; il est vrai que le montant des paris avait vertigineusement grimpé à proportion de l'aura de mystère qui flottait sur cet inconnu au regard insaisissable. Vingt minutes après, Meyer était assis face au champion de la bande, un Serbe au sang chaud qui lui rappelait les Yougoslaves des clubs de sa jeunesse, ceux qui tapaient comme des brutes sur l'horloge, trépignaient à tout propos, juraient dans leur langue pour déstabiliser l'adversaire, envoyaient systématiquement la fumée de leur cigarette dans sa direction et, lorsqu'ils perdaient, laissaient éclater leur colère en faisant valser l'échiquier et les pièces.

Râblé, de petits yeux rapprochés, tout du teigneux, un vieux fonds de ranci confessionnel dans la mise fripée et poussiéreuse, le type avait dû avoir une mère semblable à celle de Kasparov : du genre à accrocher au-dessus de son lit d'enfant un carton où était écrit « Si ce n'est pas toi, alors qui ? » en sachant que cela le poursuivrait toute sa vie pour le hisser toujours plus haut. Il connaissait bien son répertoire de parties d'anthologie. Trop bien. Il s'apprêtait à donner un récital. Trop attendu. Un vrai joueur de l'ère des machines, trop habitué à disputer des parties en ligne et à les faire analyser par son ordinateur. Mais il osait, fidèle à l'esprit du grand Tartakover : « Celui qui prend des risques peut perdre, celui qui n'en prend pas perd toujours. » Sauf que l'audace ne suffirait pas. Avec sa feuille de partie et son crayon sagement posés à sa gauche, il impressionnait moins que Meyer qui avait refusé les siens. Lui passait plutôt pour un joueur intuitif, manœuvrier, stratège, familier des guerres de position. Humain, quoi.

En ouverture, le Serbe se lança avec la variante Najdorf. La littérature échiquéenne sur les réponses à y apporter remplissait plusieurs rayons de bibliothèque. Meyer n'eut qu'à y puiser mentalement.

En moins d'une demi-heure, le temps de laisser durer le suspense, qu'ils en aient pour leur argent et qu'ils ne repartent pas frustrés, lui avait suggéré Sergio à l'oreille, le Serbe était acculé, ficelé, étranglé puis mat. Gustave Meyer se leva aussitôt pour se servir un verre de vin, laissant son adversaire à la table hypnotisé par sa position sans issue, les ongles du majeur et de l'annulaire en sang d'avoir été tant rongés.

Il avait gagné de quoi vivre quelque temps, en France et ailleurs.

La ville était plongée dans la nuit. Le froid avait chassé les piétons. Il avait bu mais rien mangé. Jamais avant de jouer, par principe. La faim le tenaillait. Une baguette de pain au sésame l'aurait comblé. Pas davantage. Mais allez trouver une boulangerie de garde après 20 heures à Paris ! Il en rêva jusqu'à l'aube.

Trois jours que l'enquête piétinait. Mais cette fois, Nina avait attendu 7 heures du matin pour appeler Emma. Le réveil fut à peine moins douloureux d'autant qu'elle n'y mettait pas les formes. Toujours aussi directe, sèche, pressée. Une telle absence de surmoi ne manquait pas d'étonner jusqu'aux membres de son équipe qui la pratiquaient pourtant quotidiennement. Au moins elle disait les choses. Eudoxie, la préposée à l'entretien de leurs bureaux, avec qui il lui arrivait de bavarder lorsqu'elle traînait tard le soir, la résumait d'une formule : « Celle-là ne mourra pas d'une pensée rentrée. »

« C'est moi. Faut qu'on se voie. Mais très vite, dit-elle en un staccato facilement identifiable.

— Bonjour...

— À quelle heure ?

— Vous savez peut-être que j'ai un petit boulot dans la vie, Nina, moi aussi, comme vous, avec des rendez-vous et des réunions...

— Il est mort. »

Il y eut un silence. Emma, soudainement blême, demeura sans voix. Une heure après, elles se retrouvèrent dans les bureaux de Bov@ry, son agence. D'un geste d'autorité, elle fit évacuer la petite foule des collaborateurs et stagiaires de la salle de réunion, installa un écran d'ordinateur au milieu de la grande table ovale et fit signe à Nina de s'asseoir à côté d'elle. Elle voulait reprendre de zéro son explication téléphonique qui lui paraissait confuse. Juste pour tenter de poser un regard professionnel sur cette affaire personnelle.

« Mon informaticien m'a envoyé un texto pour me dire que Wikipédia annonçait sa mort. »

Emma laissa échapper un sourire de soulagement. Elle savait déjà que sa fiche comportait des erreurs, comme toujours : ici un tournoi dans une ville d'Asie où il n'avait jamais mis les pieds, là un essai sur *L'héritage de Philidor* dont il n'était pas le coauteur, plus loin une citation à lui attribuée (« Un honnête homme est un homme mêlé ») dont la paternité revenait en fait à Montaigne ; il n'avait jamais pris la peine de corriger et traitait ces boulettes avec détachement. Sa fille, qui y voyait une manière de dandysme, le soupçonnait de ne pas démentir exprès pour confondre ceux qui ne s'abreuvaient qu'à cette source lorsqu'ils le présentaient en public. Un vandale, comme les administrateurs de l'encyclopédie en ligne désignaient ce type d'usager, mais un qui ne manquait pas d'imagination, avait même réussi à y écrire que, dans sa jeunesse, du temps de ses petits métiers, le champion avait été effaroucheur à Orly, activité qui consiste à surveiller les décollages en éloignant les oiseaux avec un pistolet d'alarme et en lançant des cris de volatiles effrayés sur la piste par des haut-parleurs afin qu'ils ne se prennent pas dans les réacteurs et ne perturbent pas le trafic...

Le pire, ce n'est pas le faux mais le mélange de vrai et de faux, l'un accréditant l'autre. Rien de plus salement efficace qu'un mensonge pétri de vérités. Dès l'en-tête, la date de sa mort assortie du nom de la ville suivait ceux de sa naissance. Un trait d'union les séparait. Comme de coutume, une ligne avertissait autant les lecteurs que les rédacteurs : « Cet article traite d'une personne morte récemment. Le texte peut changer fréquemment, n'est peut-être pas à jour et peut manquer de recul. N'hésitez pas à participer, en veillant à citer vos sources. » Il était également précisé que, dans une approche encyclopédique, on jugeait préférable de parler de « mort » plutôt que de « décès », ce dernier terme étant jugé trop juridique et pas assez littéraire. Et de résumer dans un goût douteux : « Il ne faut pas avoir peur des mo(r)ts ! » Wikipédia conseillait enfin de publier et de conserver ce modèle de rédaction en tête de la fiche du défunt durant deux semaines environ. À la fin de sa biographie, on en apprenait un peu plus sur les causes : mort subite en état de mal épileptique alors qu'il séjournait en Angleterre. La source citée se présentait comme proche de l'English Chess Federation.

Ainsi se propagea la nouvelle de la disparition la veille de Gustave Meyer.

Aussitôt Nina appela le Grand Hôpital. Après avoir mis en action le haut-parleur de son portable, elle fit contacter d'urgence le professeur Klapman, qui s'apprêtait à entrer au bloc opératoire. La nouvelle le terrassa. On l'entendit nettement s'arrêter de marcher, s'asseoir dans un couloir et reprendre son souffle. Nina ne lui laissa guère de répit. Elle le harcela de questions qui toutes se résumaient à une seule : tout cela est-il crédible ?

Le neurochirurgien expliqua que les causes de surmortalité chez les épileptiques étaient nombreuses, et que, parmi celles-ci, la mort subite, phénomène assez courant, pouvait effectivement survenir après une succession ininterrompue de crises liée à un arrêt intempestif du traitement. Il parla également des cas d'infections sévères, de tumeurs bénignes ou d'accidents vasculaires cérébraux. Mais lorsqu'il évoqua les recherches les plus récentes sur l'évaluation du polymorphisme génétique du système monoaminergique ou de gènes impliqués dans les mécanismes d'épileptogenèse, elle raccrocha net.

Emma faisait à nouveau défiler sa fiche, relisant tout,

vérifiant chaque détail. Elle attendit que Nina se lasse et s'en aille sans prévenir pour changer de site. Si Nina avait été moins impatiente, elle aurait remarqué que son sang-froid, sa réserve, sa pudeur ne suffisaient pas à expliquer l'absence de tristesse sur son visage. Pas la moindre trace, la plus insigne lueur, le plus petit reflet. La nouvelle aurait dû la choquer. Mais on n'est pas triste quand on n'y croit pas.

Par acquit de conscience, Emma commença par interroger des sites qui permettent à des disparus de continuer à être numériquement actifs *post mortem*, du type AssetLock ou Dead Man's Switch. On y rédige des courriels qui seront envoyés à des proches le jour venu, ou adressés automatiquement en réponse. Elle alla également voir du côté d'applications telles qu'Ifidie, qui permettent de continuer à poster sur les réseaux sociaux des messages enregistrés avant de passer de vie à trépas ; mais DeadSocial par exemple n'acceptait de le faire que si l'exécuteur testamentaire désigné pour ce rôle confirmait la mort. Cela ne donna rien.

La page d'accueil de Medicart surgit de ses favoris. Le sourire de la blogueuse Marie Meyer en médaillon arrêta sa fille quelques instants, soudainement songeuse et mélancolique. Un article du début de la semaine dévoilait les coulisses d'une guerre assez comique, mais très sérieuse eu égard à l'enjeu financier, entre deux laboratoires de médicaments, l'un britannique, l'autre américain, sur l'« effet madeleine ».

Depuis un certain temps déjà, les neurosciences décrivaient le processus de la mémoire à peu près comme Marcel Proust avait eu le génie de le faire dans sa *Recherche du temps perdu*, mais en d'autres termes. Des communications avaient fleuri dans les colloques sur ledit syndrome proustien ; on y développait des thèses sur le lien entre le psychisme et le corps, entre le passé, le présent et l'image du corps, et sur la cénesthésie, lorsque le corps enregistre un choc survenu dans l'esprit grâce à la sensation particulière qui l'avait accompagné et l'isole du reste de la conscience. Il y était question du rôle des stimuli olfactifs dans le fonctionnement de la mémoire sensorielle. La madeleine, quoi. Une sourde rivalité opposait les deux équipes pour récupérer l'exclusivité du label « Proust neurologue » dans leurs opérations de communication. L'affaire passionnait jusqu'aux philosophes de la perception, attentifs à ce renversement de valeurs car bien placés pour savoir que le goût et l'odorat n'étaient pas tenus habituellement par les Anglo-Saxons comme des sens nobles, contrairement à la vue et l'ouïe.

En fait, la blogueuse s'intéressait moins au docteur Boulbon, personnage de neurologue inventé par Proust, à ses descriptions de l'amnésie et aux nombreuses occurrences du mot « cerveau » dans la *Recherche* qu'à la fortune du label Proust dans l'univers des grands laboratoires. La pertinence de ses révélations produisait son effet.

Ainsi, le blog fonctionnait toujours sur ses deux éditions, française et anglaise. Ses articles surgissaient à intervalles réguliers comme autant de messages d'outre-tombe. Peut-être Marie Meyer les avait-elle horodatés ; certaines informations, assez anciennes, le laissaient penser. À moins qu'une équipe de hackers et de lanceurs d'alerte se soit donné pour mission de poursuivre sa campagne d'épuration éthique de la profession. Ou plutôt, comme elle le disait dans les dîners de confrères avec un art consommé de la provocation, du milieu.

Emma eut la curiosité de lire les commentaires au bas de l'enquête sur l'effet madeleine ; il lui arrivait de le faire parfois, plus pour se changer les idées que pour s'informer, certaine d'y trouver quelques délires paramédicaux qui la détendent. Plusieurs pseudonymes d'habitués et de fidèles, particulièrement inventifs, lui étaient familiers. Moins ceux de passage. Un nouveau attira son attention : « Golem ». Plusieurs interventions durant les dix jours passés. Certaines pour louer les qualités du travail de la blogueuse, d'autres pour exprimer des réactions, des idées, des opinions. Une logique ferme les gouvernait. Leur style l'intriguait : un phrasé souple et dénué de jargon qui s'autorisait une certaine tendresse. Quelque chose de personnel et d'affectif qui relevait moins des joutes de forums en ligne que des messages subliminaux. Une manière éprouvée de parler à tous pour ne s'adresser qu'à un seul.

Emma ne put se défendre de creuser davantage les commentaires de «Golem» pour savoir d'où ils avaient été postés. Statiques ou dynamiques, publiques ou privées, converties en noms de domaine ou pas, ses adresses IP changeaient sans cesse. Elle en dressa la liste : des cybercafés un peu partout dans Paris puis des ordinateurs privés. En affinant la géolocalisation, elle tomba sur le Mémorial de la Shoah, les archives au Grand Hôpital, la bibliothèque dominicaine du Saulchoir, un certain Jean Cazelle près de la rue de la Glacière, une boutique de tatouage à Pigalle, une maison proche dans le XXe arrondissement... C'est également de cette dernière adresse IP qu'avaient été effectués les ultimes rajouts de la fiche Wikipédia de Gustave Meyer annonçant sa mort.

Le codirecteur de l'agence Bov@ry, qui venait d'entrer sans frapper dans la salle de réunion, eut la surprise de voir son associée fixant silencieusement son écran d'ordinateur, un large sourire aux lèvres, le regard illuminé d'une belle lueur.

Elle remonta l'ascenseur des commentaires et retrouva celui qui l'avait immédiatement intriguée par son caractère elliptique, énigmatique. Une seule phrase en fait, mais dont la musique intérieure semblait l'avoir baignée durant toute son enfance : «Je n'ai rien à te dire, sinon que ce rien c'est à toi que je veux le dire.» Signé : Golem.

7

Quand Septimus W. Smith lui montra une image, Gustave Meyer crut que le neurologue voulait lui faire identifier le détail d'un tableau que le jeune Rothko n'aurait peut-être pas désavoué : une brindille hérissée de ses quelques fines ramifications, se déployant sur un fond beige d'où surgissaient des silhouettes légèrement vertes que l'on aurait crues échappées de la paroi d'une grotte, le tout nimbé d'un sentiment vaporeux. Il ne le laissa pas longtemps dans le doute :

« Voyez-vous, certains troubles de la mémoire sont liés à une diminution du nombre d'épines dendritiques, ces petits bourgeons qui collectent les signaux des neurones voisins… »

Meyer en conclut que Rothko l'obsédait désormais au-delà du raisonnable. Au fond, il lui aurait suffi de s'attarder sur le crédit de l'image : non un musée, un *estate* ou une fondation. Juste la photothèque du CNRS.

Il voulait en savoir plus. En traînant à South Kensington, le quartier français de Londres, il avait pu rapidement remonter jusqu'au docteur Septimus W. Smith, considéré comme une curiosité ; la figure heurtée, le cheveu lourd, l'ongle en deuil, les manches et le col de chemise élimés, et le costume strié de crasse et étoilé de graisse n'étant pas étrangers à cette réputation. Un négligé affecté, pied de nez à la propreté bourgeoise d'un dandy dont la saleté apparente ne dégageait pourtant pas de mauvaise odeur. Un excentrique dans son milieu en ce que son attirance pour la France, ses mœurs et ses habitants était inversement proportionnelle à son mépris pour leur haut personnel médical. Sa disponibilité, dont témoignait la rapidité avec laquelle il accordait un rendez-vous à tout patient français, allait de pair avec sa jouissance à humilier un confrère généralement parisien.

Meyer exposa son cas. Après l'avoir écouté avec attention, le médecin lui demanda de le documenter, mais autrement qu'avec un dossier médical rempli en ligne et répertoriant sa taille, son poids, la fréquence de ses rapports sexuels, bref un profil pixelisé permettant à tout un chacun de faire son propre diagnostic et de s'auto-prescrire. Meyer lui tendit par-dessus son bureau une carte à puce et une clé USB contenant l'essentiel : radios, scanners, prescriptions, traitements, résultats des examens biologiques... Lorsque le médecin lui fit ses commentaires, mais non sans se priver de formuler des jugements assassins sur la compétence de «votre professeur, comment déjà ? Klapman», il sentit qu'il pouvait lui en demander davantage. Sans se confier vraiment, il s'ouvrit de ses craintes.

«Vous pouvez tout dire car je peux tout entendre, dit-il en caressant sa cravate club qui affichait ses couleurs à peine plus discrètement qu'une casaque de jockey à Ascot.

— Je crois qu'au cours de son intervention il a effectivement soigné l'épilepsie en laissant une électrode dans la zone épileptogène, mais il a utilisé l'autre électrode pour augmenter mes capacités de mémoire. Sans parler de tout ce que j'ignore encore et que l'éthique médicale réprouve s'agissant de sujets sains.»

Ce qu'il savait, il le devait surtout à la lecture de son dossier aux archives. Ou à son interprétation. Il n'avait guère de souvenir de ce qu'il avait pu entendre avant, pendant, après l'intervention elle-même, d'autant qu'il avait opté pour l'anesthésie générale, trop anxieux pour savourer le plaisir inédit d'entendre son cerveau fonctionner sous anesthésie locale et réagir aux stimulations. Même la perspective d'une anesthésie réversible, dont on ne l'aurait réveillé qu'au cours de certaines phases nécessitant sa collaboration, l'avait tracassé. Peut-être ses violents maux de tête provenaient-ils d'un mouvement brusque ou d'une mauvaise chute qui auraient entraîné un déplacement des électrodes ou des dommages dans le système implanté.

À la brusquerie avec laquelle le docteur Septimus W. Smith se rejeta dans son fauteuil, Meyer comprit que l'image de la médecine française n'allait pas sortir grandie de cette consultation. Le neurologue lui confirma scientifiquement ce que le dossier du Grand Hôpital lui avait fait comprendre : une électrode à multiples contacts lui avait bel et bien été implantée en vue d'augmenter sa mémoire. Comme Meyer se demandait si cela pouvait être considéré comme une opération lourde, le médecin lui projeta un petit film sur l'écran de son ordinateur de bureau.

On y voyait un neurochirurgien placer sur la tête du patient un cadre de stéréotaxie, repère externe fixe à partir duquel la position de la cible à atteindre allait être déterminée au millimètre près. Le neurochirurgien réalisait alors deux orifices pour y insérer les électrodes, d'abord temporairement puis, après des tests, des vérifications, des enregistrements, définitivement. Après une IRM destinée à calculer le plus précisément possible l'endroit du cerveau où implanter les électrodes, celles-ci accomplissaient, pour atteindre le noyau sous-thalamique, un trajet rectiligne de quelques centimètres dans des régions dites «muettes», car n'abritant aucun centre nerveux important. Cela pouvait durer entre trois et sept heures, et très vite les tabliers étaient en sang. Le film ne montrait pas la mise en place, dans un second temps, du neurostimulateur sous la peau dans le haut de la poitrine ou de l'abdomen relié aux électrodes elles-mêmes connectées à des extensions passant sous le cuir chevelu et le long du cou. Gustave Meyer paraissait effaré.

«Mais qu'est-ce que vous imaginiez, monsieur? Que vous étiez Jim Carrey dans *Eternal Sunshine of the Spotless Mind*?

— Le professeur Klapman, qui est aussi un ami...

— Avec un pareil ami, vous n'avez pas besoin d'ennemis.

— Il dit que comprendre le cerveau, c'est comprendre l'esprit.

— Permettez-moi d'en douter.»

Ils étaient lancés dans une conversation, le docteur Septimus W. Smith ne perdant jamais une occasion de pratiquer son français, exercice qu'il savourait manifestement. Comme Meyer digressait sur la piste transhumaniste, le médecin fouilla dans une pile de courrier en souffrance et en sortit une invitation à un colloque à Oxford qu'il lui offrit d'autant plus volontiers qu'il en considérait les adeptes comme des «allumés». Mais à mesure que durait la consultation, son ironie s'estompait. Il cessait d'être son propre acteur. Gustave Meyer vit son front se plisser progressivement, son regard devenir fixe, puis flotter dans le vague.

«Vous permettez?» fit le médecin en tendant la main dans sa direction afin qu'il lui confie à nouveau sa carte à puce et sa clé USB.

Il les brancha, observa de près des IRM, grossit l'image; puis, de plus en plus songeur et étonnamment

muet, il les rendit à leur propriétaire qu'il raccompagna à la porte de son cabinet. Ils s'étaient déjà salués, l'ascenseur s'annonçait quand Meyer revint vers lui :
« Dites-moi la vérité, docteur.

— La vérité ? Mais qui peut dire qu'il la connaît, la vérité ?

— Avez-vous vraiment un monstre en face de vous ?

— Je ne comprends pas.

— Vous me trouvez monstrueux ? »

Alors le médecin, de plus en plus grave, lui mit la main sur l'épaule en lui adressant un regard plein de compassion ; puis il baissa les yeux et referma la porte, sans un mot.

Déçu, Meyer se dirigea vers l'ascenseur avant de rebrousser chemin. À nouveau, il sonna à la porte du médecin. Il sonna encore et encore, mais elle restait désespérément close ; il tambourina des mains et des pieds en criant cette fois des « Ouvrez ! » qui n'eurent d'autre effet que de rameuter le voisinage, des dentistes et des avocats comme en témoignaient les plaques à l'entrée. Alors Gustave Meyer se pencha dans la cage de l'escalier, puisa dans toutes les forces de son souffle et hurla : « *I'm a maaaaan ! I'm not an animal !* » Ce qui eut pour effet de pétrifier les gens. Car tandis qu'il descendait lentement l'escalier, nul n'osait lui parler, la plupart ayant encore en mémoire cette réplique chue d'*Elephant Man*.

Il erra toute la matinée dans les rues de St. John's Wood balayées par les vents. Les passants s'arrêtaient volontiers lorsqu'il les hélait pour un renseignement. Pas plus civique qu'un Anglais, pas plus disponible et courtois pour aider son prochain, pas plus fidèle à sa légende. Mais dès qu'ils s'approchaient de lui, on eût dit que leur sang se glaçait soudain. Alors ils se détournaient en s'excusant et en baissant leur regard, eux aussi, manifestant la même gêne que le docteur Septimus W. Smith.

La vitrine d'un restaurant français de la High Street lui renvoya son reflet. Quand il se rapprocha, des traits creusés, un visage tourmenté se dessinèrent. Pas plus effrayant qu'un autre. Heureusement qu'il ne s'agissait pas d'un vrai miroir. Car dans toute la crudité et toute la cruauté de la lumière du jour, il y aurait vu ce qu'ils avaient cru y voir : une lueur inquiétante dans le regard et, en y forant au plus profond, la trace archaïque de ce qui fut une âme.

La consultation n'était pas le but principal de son voyage à Londres. Chaque fois que le hasard ou la nécessité l'avaient mené dans ce qu'il considérait encore, avec une pointe de nostalgie, comme la dernière capitale d'empire, ses pas l'avaient mené naturellement du côté de la cathédrale St. Paul, du Millennium Bridge jusqu'à la Tate Modern, et cela de quelque point que ce fût. Pas de musée qui détienne davantage d'œuvres de Mark

Rothko à l'exception notable du MoMA de New York, sa ville d'adoption, comme de juste.

Il y a toujours moins de monde partout à l'heure du déjeuner, à l'exception des restaurants. Le bon moment pour apprécier l'art pour ce qu'il est et non pour ce qu'il représente. Gustave Meyer, c'était son heure, où qu'il se trouvât. Son moment privilégié où il était à peu près assuré que presque personne n'aurait l'idée de s'interposer entre lui et les fenêtres ouvertes sur l'invisible. Seul Rothko comptait à la Tate. Il le visitait rituellement comme on se rend chez un ami. Pour le plaisir de la conversation et non pour « échanger ». Rothko ne disait-il pas qu'une peinture doit vivre par l'amitié de celui qui la regarde ? Elle la ranime, lui redonne vie ; mais l'œuvre peut tout aussi bien mourir sous d'autres regards, inamicaux, vulgaires, cruels, brûlant d'un désir exclusivement matériel.

Les salles consacrées à Rothko plaisaient particulièrement à Gustave Meyer car on y était comme cerné par son univers. Il butinait jusqu'à ce qu'une toile l'appelle plus qu'une autre. Un appel, vraiment, mais discret, insistant, chaleureux et mystérieux à la fois. Alors il s'asseyait juste en face sur un banc en forme de pirogue stylisée, qui était déjà en soi une œuvre d'art, et se laissait happer.

Cette fois, ce fut *Black on Maroon*, une toile de 1959, l'année même où à New York Marcus Rothkowitz devint Mark Rothko, qui devait mesurer un peu plus de deux mètres sur deux mètres tout juste. Un arrêt net, inexplicable, signe qu'elle s'adressait bien à lui et à lui seul ; de toute façon, si c'était explicable, ce ne serait pas ce qu'il croyait et il lui faudrait passer son chemin. Face à elle, il se retrouvait désemparé, prêt à s'abandonner ; il aurait voulu s'y réfugier comme dans les bras d'une mère, s'y lover à l'abri de toutes les agressions. Mais pourquoi le couple de Japonais qui se trouvait sur le banc s'éloigna-t-il aussitôt après avoir croisé son regard ?

Deux rectangles verticaux, comme deux fenêtres laissant passer un jour crayeux, se détachent au centre d'une masse sombre. Une insurmontable mélancolie s'en dégage. Seul espoir, une légère touche orangée apparaît en haut à droite dans le coin d'une fenêtre ; on pourrait croire que le soleil tente de se faufiler. Sous son pinceau la couleur a le mot juste.

Un tel choc désarmait Gustave Meyer. Ses résistances habituelles, si éprouvées par la tension des grands tournois d'échecs, le désertaient soudain. Un effondrement imperceptible à l'œil nu. De quoi provoquer un chagrin au-delà des larmes. L'univers intérieur de Rothko, avec ses bandes superposées desquelles il voyait choir des lettres invisibles, le hantait si fort qu'il faisait siennes ses hantises. Tout ce qu'il avait vécu depuis l'accident lui remontait confusément avec un arrière-goût d'acidité bloqué dans la trachée. L'angoisse de finir oublié de tous dans un cul-de-basse-fosse à force de croire qu'on peut voler très haut au-dessus des jours. La crainte que le harcèlement policier finisse par le convaincre qu'il avait tenu selon la technique connue du faux souvenir. La peur d'être incompris par sa fille et que ne cesse l'admiration qu'elle lui vouait. Lui qui se demandait comment devenir autre tout en restant soi-même, il voulait être sans effet sur le monde : puisqu'il ne peut rien pour moi je ne peux rien pour lui. Trouver la bonne distance entre lui et la société eût été le début de la sagesse. Sauf qu'une vie n'y suffirait pas.

Se sentant partir, Gustave Meyer se ressaisait. Inévitable pour qui, se croyant invulnérable, veut écarter le drame de l'anéantissement. Dans ces moments-là, pour mieux conjurer la paranoïa qui menace tout individu socialement constitué, il se dédoublait pour s'interroger : voyons, un homme qui pourrait être moi est en passe d'être détruit par une puissance qui le submerge, comment ça se passe ? Sa force, il en faisait la preuve depuis longtemps. Sa détermination, tout autant. Ne lui restait plus qu'à trouver en lui le point de rupture insoupçonné où une faille émotionnelle suffit à abattre un géant. Si d'autres la repéraient avant lui, la lame de fond des événements le laminerait aussitôt. Seul de tous les peintres, Rothko lui communiquait cette sensation ineffable d'être comme inhumé en lui-même.

Black on Maroon fait partie de ses grandes toiles. Mais à partir de quand une toile est-elle grande ? Pas de critère sinon celui d'Alechinsky : une œuvre est monumentale dès que le peintre monte sur un escabeau. Victime d'une rupture d'anévrisme en 1968, Rothko se voit interdire par la Faculté de peindre des toiles supérieures à un mètre. Or il aime concevoir de grands tableaux pour vivre à l'intérieur ; le petit format le condamne à se placer hors de sa propre expérience.

Le grand maître d'échecs s'identifiait au grand peintre. Deux artistes en somme qui partageaient le même processus psychique en trois temps : d'abord s'entraîner, c'est-à-dire regarder en soi tout en conservant une attache avec la société ; puis se couper de tout et se laisser emporter par une frénésie intérieure qui mène aux confins de la folie ; enfin, abandonner à regret cet état de grâce qui permet de titiller la transcendance pour affronter le monde des trafiquants. Rothko ne disait rien d'autre.

Était-ce l'esprit du peintre qui résonnait si fort des années après son suicide ? Gustave Meyer se sentait si réceptif au noyau de colère que Rothko nourrissait en lui qu'il avait adopté ses fureurs jusqu'à s'en faire le porte-voix d'outre-tombe. L'heure du déjeuner étant visiblement passée, des visiteurs se faisaient un peu plus nombreux. Avec la même énergie que l'artiste mettait à vitupérer les gens de pouvoir, Meyer engueulait ceux qui avaient l'indélicatesse de faire écran dans sa conversation muette avec lui. Il imposait le silence aux bavards. Plus qu'une invitation, une injonction. Et comme cela ne suffisait pas, du haut de son mètre quatre-vingt-quinze, il allait les toiser :

«Vous savez où vous êtes ? Ici c'est plus sacré qu'une église. Respect. Recueillement. Renaissance. Compris ?»

De toute façon, en peinture comme aux échecs, on ne peut s'adresser aux masses ni même aux foules. Juste à de rares personnes. Tant pis si on n'y voit qu'une élite. Ce qu'on accomplit de mieux dans une vie, on le fait pour soi et pour quelques-uns. Assurément pas pour le guide qui annonçait : «Vous voici à Rothkoland !» ni pour ceux qui s'émerveillaient du voyage.

«Mais vous, que faites-vous d'autre que nous ? osa lui demander l'un des touristes qu'il avait agressés.

— Moi ? Moi, monsieur, je perce la croûte des apparences.»

Sa réponse eut la vertu d'éloigner le groupe qui s'était agglutiné devant «son» tableau. Peut-être moins les mots qu'il avait employés que le ton dont il avait usé, le grain de sa voix, l'étrangeté de son regard.

Rothko lui apparaissait comme un mystique qui s'était cru prophète non de l'avenir mais du temps présent. Ses dernières toiles exhalaient un parfum de mort, mais la mort dans ce qu'elle a de palpable. La pièce de la Tate Modern dans laquelle Meyer se trouvait assis depuis plus d'une heure était saturée de

Rothko. Pas seulement parce qu'il n'y en avait que pour lui, mais parce qu'il avait recherché cet effet pour mieux éloigner le spectre du décoratif. L'ornemental : l'horreur.

De quelque côté qu'il l'appréhendait, cette peinture le plongeait dans un état hypnagogique, l'une de ces situations de demi-conscience où un trouble psychique précède le sommeil ou lui succède. L'effet de vibration que produit toute toile de Rothko, jusqu'à en être sa signature, brouille l'insaisissable frontière censée distinguer le rêve de la réalité. Quelque chose de l'ordre d'une hallucination fugace mais qui revient toujours se confronter au réel. Car le tableau est animé d'une lumière intérieure qui se projette sur le spectateur captif avec la même puissance qu'un vitrail de cathédrale. Ses toiles ne cherchent pas à incarner quoi que ce soit d'ésotérique ou d'exotique. Rien qui soit hors des limites de la raison occidentale. Juste assez pour assouvir sa quête de l'accord parfait.

Un couple d'hommes, de riches collectionneurs hollandais à en juger par leur mise, leur assurance et la langue dans laquelle un expert leur *racontait* Rothko avant de leur *expliquer* Rothko, s'interposa entre eux. Il faillit se lever à nouveau, mais à quoi bon ? Il leur fallait un Rothko, ils l'auraient. Meyer était convaincu qu'il possédait déjà ce dont ils ne seraient jamais propriétaires : une certaine faculté à capter l'esseulement que recélaient ces peintures. Ce sentiment que parfois la solitude vous tombe dessus comme une brique. Eux avaient certainement trouvé ce qu'ils cherchaient dans ces tableaux, déjà. Mais lui ? Une vérité, mais laquelle ?

Son sentiment, c'est justement ce que s'apprêtait à lui demander un jeune homme en costume, la cravate frappée du logo de la Tate Modern, qui s'approchait de lui à pas feutrés en venant de la gauche, présence que le regard panoramique mais impassible de Gustave Meyer permettait de deviner. L'intrus restait debout, attendant qu'il en ait terminé avec sa conversation sans paroles.

« Quoi ? demanda Gustave Meyer en levant la tête de biais après avoir remis ses lunettes teintées pour la première fois depuis son entrée dans le musée.

— Pardonnez-moi, monsieur. C'est pour une enquête destinée à notre service de communication.

— Je vous écoute.

— Nos caméras de surveillance ont remarqué que vous avez passé plusieurs heures face à ce tableau.

— Le règlement ne l'interdit pas encore.

— Bien entendu ! assura celui qui avait tout l'air de sortir frais émoulu du Courtauld Institute of Art. Juste quelques questions. Comment décririez-vous *Black on Maroon* ? »

Meyer se leva, fit quelques pas en marchant en rond, puis revint songeur face au tableau :

« C'est comme les "Nymphéas" de Monet sauf qu'il n'y a pas de nymphéas, vous voyez ?

165

— Ah, fit simplement l'enquêteur en notant cette forte pensée. Mais le peintre, comment le voyez-vous ?

— Ses visions sont celles d'un être dénué de paupières. »

Le jeune homme revint vers le tableau, lui demanda cette fois juste ce qu'il en pensait et reçut une question pour toute réponse :

« Mais où est le tableau ? »

Que peut dire d'autre un homme qui considère les échecs comme une *cosa mentale* et passe le plus clair de son temps à jouer sans échiquier. Cette fois, l'enquêteur se retira, vaguement inquiet, aussi discrètement qu'il était apparu et en laissant Meyer à la contemplation de ces bords tremblés, de ces visions de nuages, de ces formes dilatées dépourvues d'angle, de ces sfumatos et ces vibrations, murmurant : Ça flotte, ça flotte… tandis que du plus loin de sa mémoire et du plus profond de sa conscience revenait le hanter la mélodie de « La Mantovina ».

Peu d'éclairage. Pas de cadre. Une telle densité pour inviter à tant de sérénité suscitait un sentiment de l'ordre du religieux. Enveloppé de ses nuées, guettant l'instant où elles l'engloutiraient, Meyer faisait à nouveau face à *Black on Maroon*. La salle quasiment vide. Un gardien demeurait stoïquement sur sa chaise, son regard mi-clos n'exprimant que des mines de batracien assoupi. Personne pour lui demander la direction des toilettes, la seule question qu'on lui posait à longueur de journées. Envoûté comme jamais par son peintre, Gustave Meyer prit au mot celui qui disait peindre des tableaux afin qu'on les accrochât à hauteur d'homme, quasiment au ras du sol pour les verticaux et au ras du regard pour les horizontaux, à la fois façades et baies, les deux donnant accès à la profondeur du monde, il suffisait de se laisser attirer par le grand vide.

Ce que Meyer fit. C'était maintenant ou jamais.

Sa quête du moment parfait valait pour tout, qu'il fût acteur en tournoi ou spectateur au musée. Animé d'une force sans raideur, abandonné à sa vibration de l'instant, il tenta d'entrer dans le tableau par effraction. Puisqu'il était selon le vœu du peintre comme une porte découpée dans le mur, on devait pouvoir y pénétrer.

Le brouillard enveloppait ses pas à mesure qu'il avançait vers le tableau. Un pas de plus et il basculerait enfin dans son arrière-monde. Soudain il prit conscience qu'il ne reverrait jamais Paris ni ne dirait jamais bonjour à son vieux soleil.

Une sonnerie se déclencha. L'alerte fut donnée. Quelques instants plus tard, Gustave Meyer était ceinturé par deux agents de sécurité aidés de deux policiers.

Malgré tous ses efforts, Nina n'avait pas réussi à explorer l'être qu'elle traquait. Relancer sa fille ? Elle hésitait encore de peur de se la mettre à dos, qu'elle prenne cela pour une pression. Mais l'enquête piétinait en un surplace intolérable. Ses messageries avaient pourtant été fouillées, ses dossiers mis sens dessus dessous, dans l'espoir d'y trouver la trace d'une perfidie comme seuls les ex-maris en sont capables, l'ombre d'un chantage, l'écho d'une ancienne menace, mais non, rien. Une phrase du chef, l'homme qui l'avait formée et de qui elle ne craignait pas de dire qu'elle lui devait tout, le seul chef qu'elle eût jamais supporté et respecté, cette phrase demeurait gravée au fronton de sa mémoire : « À découvrir des vérités tardivement, on ne découvre jamais que des lieux communs. » Pas sûr qu'il en fût vraiment l'auteur. Du reste, c'était une autre époque, nul ne s'exprimait plus comme La Rochefoucauld dans la maison.

Ce jour-là, alors qu'elle déjeunait sur le pouce dans un bistro près de la PJ avec un collègue, le bruit de fond rapportait en un brouhaha indistinct les informations du journal depuis un poste de télévision perché au-dessus du zinc. Elle le suivait d'une écoute flottante, tout en parlant avec Damien ; soudain une expression l'accrocha, quelque chose comme « foudko », qui l'intriguait ; elle se rapprocha, demanda qu'on augmente le son ; il était question d'un Français à Londres, un délit ou un accident, ce n'était pas clair. Elle remonta aussitôt au bureau, marmonna durant tout le trajet des « foudko » inintelligibles de peur d'oublier, alluma son ordinateur. La piste se précisa ; en compulsant fébrilement les notes de son carnet, elle la retrouva dans la bouche d'Emma lors de leur conversation à la bibliothèque de l'Institut médico-légal. L'instant d'après, elle l'appelait :

« Nina. Votre père, il est fou de Rothko, c'est ça ?

— Si on veut.

— Mais vous me l'avez dit l'autre jour ! cria-t-elle.

— Ça va, ça va ! Fou de Rothko, oui, rothkodépendant si vous voulez.

— Le mort est ressuscité et bien vivant même. On l'a repéré à Londres. Il a commis des dégâts et il va en commettre d'autres. Hors de contrôle ! *Borderline* ! Complètement rothko, votre père ! Alors si vous m'aidez pas, sa prochaine victime, c'est lui. »

Il y eut un blanc sur la ligne. Nina attendait, bien décidée à la laisser mariner dans son jus. Emma hésita à répondre. L'appareil posé, elle sortit de son portefeuille un bout de papier qu'elle déplia. Son père y avait recopié à sa seule intention, de son écriture maladroite mais si appliquée pour l'occasion qu'elle paraissait calligraphiée, le seul poème que Paul Celan eût jamais écrit en français, et qu'il destinait non à la publication mais à son fils. Emma le connaissait parfaitement, mais dans les moments de doute elle le relisait à mi-voix pour se donner des forces, et le poème lui en donnait comme s'il avait été écrit et lu dans l'instant à sa seule intention par son propre père :

« Ô les hâbleurs,
n'en sois pas.
Ô les câbleurs,
n'en sois pas,
L'heure, minutée, te seconde,
Éric. Il faut gravir ce temps.
Ton père
t'épaule. »

Le poème n'avait rien perdu de sa douceur, de sa tendresse ; mais même si le temps n'avait en rien entamé son énigme profonde, il la touchait toujours autant parce qu'elle y entendait la voix de son père.

Peu après, elle retrouvait Nina dans le décor mi-Art déco mi-Art nouveau de la brasserie face à la gare du Nord. Vous voulez que je coopère ? Alors allez-y, vous pouvez tout dire car je peux tout entendre, vous saurez tout sur mes parents, même ce que j'ignorais encore car je ne voulais pas le savoir, mais c'était tapi dans un repli de l'inconscient, ça ne voulait pas sortir, trop inavouable y compris à soi-même. L'une commanda, en se justifiant si ce n'est en s'excusant, la fameuse bouillabaisse « Terminus Nord » au motif qu'elle n'avait rien avalé depuis la veille, l'autre se contenta de sa rouille et de ses croûtons accompagnés d'un café car elle ne pouvait plus rien avaler depuis la veille.

Emma n'en avait jamais autant dit sur les siens et sur elle à personne. La situation l'imposait mais aussi la qualité de l'interlocutrice. Car on se confie toujours davantage, en s'affranchissant même des frontières de la pudeur, à quelqu'un que l'on est sûr de ne plus jamais revoir, et ce serait le cas inévitablement lorsque toute cette affaire serait close.

«Mais mon père n'est pas un assassin, ça, Nina, je vous le certifie.

— Peut-être mais il est le principal suspect du meurtre de Marie Meyer et il a envoyé un flic au cimetière et un motard à l'hosto. Tout concourt pour le rendre coupable et responsable.

— Un accident. Quant au meurtre, non... Je le connais trop.

— Mais vous êtes sûre que vous le reconnaîtriez?»

Emma eut un mouvement de recul tant la question la surprenait. Au vrai, l'insinuation ne la prenait pas seulement de court : elle l'effrayait. Lui, étranger à jamais? La perspective de croiser son père dans la rue sans être capable de l'identifier lui était insupportable. Manifestement, la police en savait davantage qu'elle n'en disait. Une réponse lui échappa et chut de sa bouche, mais trop rapidement, alors qu'elle la devinait stupide :

«Et vous, votre père?

— Quoi mon père?

— Vous le reconnaîtriez?»

Soudain son visage parut défait. Ses défenses, évanouies. La forteresse se lézardait sous ses yeux. Emma assista gênée à l'effondrement qu'elle avait provoqué. Sa question n'était pas stupide. Juste un peu déplacée.

« C'est lui qui m'a jamais reconnue. »

Nina aussi, ça lui avait échappé. À s'en mordre les lèvres au sang le regard baissé. L'instant d'après, elle revint des toilettes les yeux humides, de fines traces sous les paupières. Elle s'assit et dit simplement :

« Tu connais pas ta chance. »

L'un des garçons de la brasserie, dont la légende ferroviaire disait qu'ils ont le chic pour deviner la destination des clients attablés dans leur périmètre, vint discrètement prévenir Nina que l'Eurostar ne tarderait pas à être annoncé. Emma l'accompagna jusqu'à la gare et lui promit de rester près de son téléphone, au cas où. Elles n'allaient pas se serrer la main comme avant, surtout après être passées au tutoiement, ni s'embrasser comme deux vieilles amies. Un lent signe en s'éloignant sous la grande verrière, un long échange de regards que rien ne vint troubler, presque rien mais qui témoignait que quelque chose était passé entre elles.

Le directeur du musée paraissait sidéré. Car c'était précisément dans ce tableau, et dans nul autre du même artiste, que l'étrange Français avait décidé de se jeter. D'abord y pénétrer de plain-pied, comme Rothko y invitait tous ceux qui posaient les yeux sur son monde, puis de là se précipiter dans le vide.

« Ce visiteur était si envoûté qu'il ne voyait plus le tableau, répétait-il avec une certaine admiration pour l'expérience tentée. Il ne voyait que l'au-delà à travers les deux rectangles en son centre après avoir troué la toile du regard pendant des heures. Vous voyez ce que je veux dire, madame...

— Nina.

— *Mrs Nina. A real suicide, indeed.*

— Se suicider, lui ? C'est mal le connaître. Le genre d'homme qui ne voudrait pas vivre sans avoir vécu.

— Ah... vous le connaissez ? »

Elle ne savait quoi répondre mais par prudence, soudain prise d'un doute, se le fit minutieusement décrire. Tout semblait à peu près correspondre. Le responsable du musée regarda attentivement le portrait qu'elle lui tendait et l'imagina avec des modifications. De toute façon, il semblait préoccupé par autre chose. On l'eût dit dépassé par la signification de l'événement.

« En fait, expliqua-t-il, je vais finir par croire que cette œuvre est vraiment magnétique. Imaginez-vous qu'on l'a raccrochée il y a seulement quelques semaines après des mois de restauration. Car un Russe signant du nom de Vladimir Umanets, se réclamant d'un mouvement yellowiste dont il se dit le cofondateur, s'y est attaqué lui aussi. À coups de pinceau. Et pas en petit !

— Bon, mais c'est pas le Russe qui m'intéresse, c'est le Français...

— Chaotique et confus. Il parlait sans discontinuer.

Il avait l'air de confondre le monde d'hier et le monde d'avant. Il fuyait mais, pardonnez-moi de le dire, dans l'absolu.

— Comprends pas, fit Nina.

— Il fuyait comme un fugitif et donnait l'impression que soudain quelque chose s'était détraqué en lui. »

Ce qui ne fit qu'augmenter son incompréhension. En arpentant la salle Rothko, fermée par des barrières métalliques car la rumeur avait attiré des badauds, elle lui fit part de son intention de rencontrer ses collègues de la police locale. Ce dont il la dissuada aussitôt, Inutile, Mrs Nina, il n'est pas là-bas, il n'est pas ici non plus, il n'a même pas eu à fuir, on l'a relâché car il n'a commis aucun dégât, il s'apprêtait juste à en faire et s'il fallait systématiquement reprocher leurs intentions à certains assidus visiteurs de notre maison, voyez-vous, la vie à la Tate Modern serait intenable, car les amateurs d'art présentent un éventail assez complet des manies, névroses et fantasmes en circulation.

Nina avait déjà franchi le seuil du musée. Comme Meyer avait prétexté avoir oublié ses papiers à l'hôtel, les employés de la sécurité n'avaient même pas pu lui communiquer l'identité sous laquelle il voyageait. Dans toute autre ville, la situation l'aurait découragée. Pas ici, car il n'est pas de rues en Europe plus surveillées que celles de Londres. Les caméras la quadrillent de part en part. À croire que nul recoin ne peut se soustraire à l'œil inquisiteur de sa police. Un appel la rassura, les flics justement, bien que Meyer ne fît pas l'objet d'une « notice rouge » d'Interpol, sorte de mandat d'arrêt international ; ils avaient été prévenus de son arrivée et voulaient lui faire savoir qu'ils conservaient le signalement de l'étrange Français autant qu'ils pouvaient en juger malgré le feutre mou très mou qui ne quittait pas sa tête, le suivaient de loin en loin dans son errance et l'avaient repéré sortant du métro à Piccadilly, se dirigeant vers Jermyn Street, traînant dans la rue des chemisiers, pour finir par entrer chez Hawes & Curtis et en ressortir dix minutes après un paquet sous le bras, une chemise sans aucun doute.

Aussitôt contactée, Emma eut une curieuse réaction :

« Quel jour sommes-nous ?

— Vendredi.

— Quelle couleur, la chemise ?

— Je te rappelle. »

Nina se rendit aussitôt dans le magasin, prétexta que son mari avait un doute sur la taille de sa chemise, vous savez le Français avec un chapeau qui était chez vous tout à l'heure...

« Emma ? Blanche, la chemise.

— Dans ce cas, va dans le West End et sois à 17 heures à la synagogue de Marble Arch, c'est Great Cumberland Place, près de Hyde Park, j'ai oublié le numéro mais tu trouveras facilement, il suffit de regarder à quelle porte entrent des hommes coiffés d'un chapeau ou d'une kippa.

— Ah… Et si j'en vois un avec une chemise blanche sur la tête, c'est ton père?»

À l'autre bout du fil, Emma laissa échapper son rire avant de lui expliquer que, sans être religieux, il ne se sentait pas en phase avec ceux qui adorent plus leur religion que Dieu, qu'il était attaché à la perpétuation de certaines traditions, qu'il se rendait toujours à l'office du shabbat à quelque endroit qu'il se trouvât dans le monde, qu'il l'avait accommodé à sa convenance personnelle comme une respiration dans la semaine, une parenthèse consacrée à l'étude de la Loi, et qu'il ne manquait jamais lui aussi de s'y envelopper du lin des esséniens en portant une chemise blanche, symbole de pureté permettant de se rapprocher en toute humilité de la présence divine. Peut-être le blanc s'était-il réfugié là après que la neige eut fondu.

Emma n'était pas croyante mais elle croyait en son père qui croyait en Dieu. Cela signifiait qu'aux yeux de Gustave Meyer tous les jours tournaient autour de ces vingt-quatre heures séparant le vendredi soir du samedi soir; dans la maison de son enfance, les femmes pleuraient en allumant les bougies du shabbat, des siècles qu'il en était ainsi sans que nul ne sût dire de quoi ces larmes étaient le nom, de la joie ou de la tristesse.

Ignorante de ces rituels, et même de ce monde-là, Nina se mêla à la foule de celles qui montaient directement l'escalier afin de se rendre à l'étage qui leur était réservé. Son attitude, jusqu'au moindre de ses gestes, relevait du mimétisme, condition impérative pour se fondre dans la masse, son Perfecto dût-il faire tache dans le vestiaire des dames de cette bonne société. Sa gaucherie, un léger retard à l'allumage dans le suivi du rituel laissaient accroire que cette étrangère, jamais aperçue auparavant dans les travées, était en voie de conversion.

Sa voisine de droite, une femme d'un certain âge au fort accent polonais, dont le polyglottisme fleurait bon la meilleure éducation d'une Mitteleuropa disparue, la prit généreusement sous son aile. Ayant remarqué ses hésitations, elle lui tendit son propre livre de prières ouvert à la bonne page, comme il est de coutume. En anglais à gauche, en hébreu à droite, mais pour Nina, dans un cas comme dans l'autre, c'était du chinois. Elle avait choisi sa place de manière à jouir du meilleur poste d'observation vis-à-vis de l'assemblée des hommes. À force de scruter les visages et les silhouettes, elle le vit. Lui, enfin. Sa chemise blanche était d'autant plus éclatante qu'il ne portait pas de veston. Le regard se dissimulait derrière des lunettes à verres fumés, et le reste du visage et de la tête à l'abri de ce qui avait été un chapeau feutre et n'était plus qu'un galurin informe, mais ne surprenait pas en un lieu où tous les hommes avaient la tête couverte.

Soudain les fidèles se levèrent. Nina paniqua de

crainte de le perdre. Sa guide d'un soir, à laquelle sa préoccupation n'avait pas échappé, la rassura, ne vous inquiétez pas vous allez le retrouver votre amoureux, tout à l'heure à la sortie, là c'est le moment de l'*amida*, une prière qui se dit debout et en silence, chaque mot étant articulé en pensée, face à l'Arche sainte donc en direction de Jérusalem, les pieds joints en signe de respect, on proclame la sainteté de ce jour. Pour éviter de la vexer, Nina n'osa lui avouer que ces détails lui passaient au-dessus du casque. Elle craignait juste de perdre la trace de cet homme qu'elle traquait depuis des jours et des nuits et qui justement, selon le rituel, après avoir reculé de trois pas, avançait de trois pas et disparaissait ainsi de son champ de vision derrière un pilier. Nina se leva pour descendre au rez-de-chaussée chez les hommes afin de le coincer, mais sa voisine l'en dissuada, c'est interdit vous savez, mais vous allez le retrouver, petite madame, ne vous en faites pas, et... L'entourage leur intima à voix basse de respecter le silence de cette assemblée unie dans la prière, bien que chacun de ses membres s'adressât personnellement et directement à Dieu.

Les hommes balançaient leur corps, d'avant en arrière et parfois de gauche à droite, en se prosternant légèrement. Rien d'une affectation, tout ce qu'il y a de plus naturel. Ils avaient imprimé ces mouvements en eux depuis leur enfance pour avoir vu leur père ainsi osciller à la maison, et celui-ci son père et le père de son père jusqu'à l'origine, l'âge lyrique, l'ère des commencements.

Quelques instants plus tard, Nina se retourna, lança à nouveau son regard en plongée vers l'intersection des travées, après que les hommes se furent une seconde fois livrés à leur chorégraphie, mais il n'y était plus, n'ayez crainte, lui dit encore la dame, il se trouve certainement juste en dessous de notre balcon, cela arrive avec tous ces déplacements, mais ne le cherchez pas, vous allez le distraire de sa conversation avec le Tout-Puissant, soyez patiente, de toute façon tout est entre Ses mains hormis la crainte de Dieu.

À la fin de l'office, comme toutes se souhaitaient un vibrant et chaleureux *shabbat shalom*, Nina dévala l'escalier pour être la première à guetter la sortie. Elle attendit jusqu'à ce que le dernier homme quitte les lieux. Son fugitif avait à nouveau disparu.

Combien d'hommes à chemise blanche, hauts de taille, portant chapeau, lunettes et manteau, les yeux de Londres étaient-ils encore en mesure de prendre en filature dans le flux des foules ?

Pour la première fois de sa vie, Gustave Meyer se retrouvait seul la nuit de son anniversaire. Il avait maintenant soixante-deux années derrière lui et se retrouvait pris comme jamais dans un étau d'injonctions contradictoires. Ses crises migraineuses s'étaient estompées. Un autre syndrome leur avait succédé, certainement lié au fond de l'air, que Winston Churchill désignait comme son *black dog*. Une force sourde et puissante qui lui tombait sur la nuque sans s'annoncer et le plongeait dans de profondes dépressions. Il n'en était pas encore là. Sa musique intérieure l'en préservait, cet air entêtant qui ne le lâchait pas depuis le début de sa fuite. Juste un air comme ça mais qui repassait régulièrement le hanter à l'égal d'un fantôme, un ver d'oreille à la force de surgissement inouïe, qui revenait depuis l'inconscient et opérait comme une véritable démangeaison sonore du cerveau.

Le surlendemain, dès son arrivée en gare d'Oxford, son premier geste fut de se retrancher au C-Work Cyber Cafe de New Inn Hall Street où pullulaient les étudiants. Il y passa la journée, immergé dans des sites d'échecs proposant les grandes parties d'anthologie et leur résolution ; il ne les abandonnait provisoirement que pour chercher une bonne adresse sur des sites moins répertoriés, non pas clandestins mais alternatifs, qui indiquaient à mots couverts des adresses de pubs dont l'arrière-salle accueillait volontiers un certain type de joueurs qui n'étaient pas des lanceurs de fléchettes. Avec le dernier quart d'heure auquel il avait droit, il se connecta sur Medicart. Le sourire de Marie Meyer paraissait éternel sur la page d'accueil. Seul l'article de tête avait changé : la guerre du label Proust avait fait place au premier volet d'une grande enquête sur les dessous scientifiques, économiques et idéologiques du transhumanisme. Comme prévu.

Il quitta le cybercafé à la tombée de la nuit, le ventre creux ; une fois réglé son billet de train, et englouti tout ce qui lui restait pour payer ses connexions Internet, il était à peu près à sec. Le Tesco de Cowley Road fermait à minuit. Il trouva ce qui correspondait à son fond de poche à un penny près. Un peu de salade, de la charcuterie sous vide. Des gens que nul n'attendait chez eux y faisaient leurs courses. Il était 21 heures passées de quelques minutes. Au supermarché, l'heure des célibataires, des veufs, des divorcés qui n'étaient pas pour autant des isolés, des solitaires ou des esseulés. Juste des seuls. De ceux qu'on refuse au restaurant d'un air contrit affichant complet comme si on avait honte pour eux, pour la tristesse que leur résignation est censée dégager. À croire que la vue des seuls suffit à faire fuir les couples de clients et les familles.

Peu après, il se retrouva dans un lieu assez animé qui avait l'air d'un tripot. À dire vrai, on y jouait à tout et on y pariait sur tout. L'atmosphère s'en ressentait. Plutôt que dans l'une des plus prestigieuses villes universitaires du Royaume-Uni, l'étranger se serait cru égaré à Macao.

Gustave Meyer demanda à parler au responsable des échecs.

Un type sans âge se présenta, si l'on peut dire tant il paraissait économe de son verbe et méprisant de sa moue, dissimulant mal son embonpoint sous un gilet sans manches, kaki et multipoches, comme en portent les chasseurs de palombes et les reporters-photographes ; il ne saisit même pas la main que Gustave Meyer lui tendait et lui aurait volontiers balancée en pleine figure si les deux ours à l'entrée n'avaient pas eu l'air aussi hermétiques au génie de la fameuse «défense Benoni» dans sa variante tchèque, ainsi nommée d'après l'hébreu *Ben oni*, soit «fils de ma douleur», tiré de la Genèse 35,18 ; et ceux qui étaient réunis dans cet endroit ce soir-là ne la connaissaient pas encore, leur douleur. Il interrogea simplement l'étranger du regard. La demande de Meyer fut claire et directe : pas d'identité, pas de photo, pas de classement Elo, et je veux affronter votre meilleur joueur à condition qu'on mette au plus haut la barre des enchères, mais je n'ai pas de *cash* ni même de carte de crédit, juste une montre assez recherchée, la Rolex Daytona Vintage, la même que celle de Paul Newman, vous pouvez vérifier, elle est cotée aux alentours de cinquante mille euros, ça aussi vous pouvez facilement le vérifier.

Le bonhomme tendit la main, soupesa la montre, l'examina de près comme s'il pouvait s'enorgueillir d'une quelconque qualité d'expert ; l'étranger refusant de s'en séparer, il la photographia sous différents angles avec son téléphone avant de disparaître sans un mot derrière de lourds rideaux. Meyer attendit plus d'une heure au bar. Son interlocuteur lui paraissait si antipathique qu'il n'avait même pas envie de connaître son nom, et encore moins son prénom. À sa réapparition et au geste qu'il fit pour l'inviter à s'asseoir à la table d'échecs, les autres joueurs et leurs spectateurs se déplacèrent avec leur chaise en une chorégraphie parfaitement réglée. Du spectacle dans l'air. Du sport en perspective. Un combat de gladiateurs annoncé. Leur genre à tous qui ne serait jamais le sien.

Lorsque son adversaire fut introduit dans la pièce, il y eut foule et les parieurs se déchaînèrent. La tête entre les mains, les coudes sur la table, Gustave Meyer était déjà ailleurs, insensible au bruit et aux cris. Fixant l'échiquier encore inanimé, il s'était transporté à l'intérieur de *Black on Maroon* et se projetait se balançant à l'une des baies ouvertes sur le monde par Rothko tandis que des échos de «La Mantovina» de plus en plus précis montaient du lointain.

Son adversaire était un petit homme sec à l'allure de comptable méticuleux et naphtaliné tel un vestige oublié d'un ministère soviétique. D'ailleurs, son bras était prolongé d'un cartable en cuir bouilli d'où il s'empressa d'extraire son carnet de tournoi, son crayon et sa gomme qu'il rangea avec soin près de la double horloge.

L'affaire fut emballée sans trop de problèmes. Que du classique, guère d'imprévu, à peine un faux pas que Meyer prit pour une tactique en trompe l'œil. Il est vrai qu'il était troublé par un tic de l'homme, lequel ne cessait de se gratter le pavillon. Peut-être était-il augmenté de ce côté-là, qui sait, un implant cochléaire qui capte les sons environnants et les traite à l'aide d'un processeur, pour ensuite les émettre vers une partie interne, insérée chirurgicalement sous la peau. De toute façon, avec ou sans cette prothèse, il n'y arrivait pas.

En quittant le pub, Meyer ne s'attarda pas dans ce quartier peu engageant, surtout avec plusieurs dizaines de milliers de livres sterling sur lui. De quoi tenir et voyager pendant quelques semaines. Il craignait davantage pour ce liquide qui lui gonflait les poches que pour sa montre, cadeau des organisateurs après sa victoire lors d'un grand tournoi aux Émirats. Un objet auquel, le cas échéant, il aurait fait ses adieux sans l'ombre d'un regret.

Il se retourna une dernière fois vers les deux cerbères qui encadraient la porte d'entrée telles des colonnes en fonte, comme si l'immeuble allait s'effondrer dès qu'ils feraient un pas. Juste un ultime regard en manière de revanche d'un défi invisible. Mais aucun des deux n'eut le courage de le regarder en face. À croire qu'il leur faisait peur, lui, une feuille par rapport à ces arbres. Mais il se défendait de telles pensées, craignant que la recherche du sens caché des choses ne l'obsède jusqu'à l'envahir.

Son sommeil en fut agité mais il se garda bien d'interpréter ses rêves. D'autant que tout inclinait à un certain apaisement dans ce *bed and breakfast* du centre-ville, surtout les murs recouverts d'un papier peint à fleurs au mauvais goût étrangement rassurant.

La réunion des «trans», comme ils se désignaient entre eux, sans allusion au caractère transdisciplinaire de l'institut de recherche, se donnait des airs de conspiration mais sans y croire; le naturel anglais, porté à l'autodérision, y aidait. Muni de son sésame, son carton d'invitation au colloque que le professeur Septimus W. Smith lui avait offert, Gustave Meyer n'eut aucun mal à se faire admettre dans la salle de conférences. Une fois dans la place, il se mêla aux groupes mais sans jamais prendre part à leurs conversations, refusant même les invitations à s'exprimer informellement :

« Mais quoi, vous ne voulez pas prendre en main votre destin? l'interpella une jeune Américaine pétillante, des dossiers sous le bras, la coiffure en pétard, les verres de ses lunettes rondes si maculés d'empreintes digitales que sa vision du monde devait en être sérieusement perturbée.

— C'est-à-dire que...

— Vous savez que ça ne coûte presque rien de décoder son propre génome.»

Et comme il hésitait encore sur la réponse à apporter, de crainte de s'engager dans une voie dont il aurait du mal à s'exfiltrer, elle le relança :

«Vous avez été vacciné ?

— Comme tout le monde.

— Alors vous êtes déjà un cyborg!» lui lança-t-elle à la figure avant de l'abandonner à son sort.

Le colloque du Future of Humanity Institute bruissait de mille et un projets qu'il ne fallait pas gratter trop profondément pour deviner que, dans bien des cas, ils ne resteraient qu'à l'état de rumeurs. Une vraie nébuleuse que ce genre de rencontres où se croisaient le meilleur et le pire.

Tous ces gens poursuivaient un même but qui tenait en deux mots : l'humanité augmentée. L'expression paraissait anodine aux béotiens. Pas de quoi s'inquiéter. Juste un club de libres-penseurs de plus, même s'il était constitué d'une galaxie d'opinions peu homogènes. Mais pour ceux qui s'y montraient radicalement hostiles, rien de moins que des dangers publics. Comme toute internationale, et chez eux elle se nomme Humanity+, les transhumanistes ont leurs chapelles et leurs excommunications. Le courant dit californien, très offensif, plein de l'assurance du fondateur, paraissait assez bien représenté; celui des technoprogressistes manquait d'agressivité face aux partisans du téléchargement de la pensée, de l'inconscient, de la mémoire sur une machine; tant et si bien que les doux passaient pour les idiots utiles des durs. Mais il n'était pas indispensable d'être philosophe pour comprendre que le transhumanisme n'est pas un humanisme.

La plupart des participants semblaient si pénétrés de la thèse qu'ils étaient venus défendre à l'égale d'une cause vitale pour la planète, et certains d'entre eux si excités à cette idée, que l'intrus se demanda s'ils n'avaient pas absorbé des substances dès le petit déjeuner. Celles-là mêmes qu'ils évoquaient dans leurs interventions, des psychostimulants généralement prescrits à des malades, ce qu'ils n'étaient pas, en principe. Celui-là de la Ritaline, celle-ci du modafinil, et tous des amphétamines ! Au début, Meyer les observait la bouche ouverte et les sourcils en circonflexe, sans dissimuler son étonnement face à ces rares échantillons d'une société dont il ignorait les codes. Tant et si bien qu'un homme l'interpella pendant une pause :

« On n'est pas des golems, hein, qu'est-ce que vous croyez ? »

Ce qui eut pour effet de le sonner. Savait-il ? L'avait-il identifié ? Et à quel détail ? Pour ces gens, animés par une même haine du corps et une même phobie des maladies, les nootropiques et autres psychostimulants destinés à *booster* le cerveau n'étaient pas seulement dépassés : même si des sites les mettaient désormais à la portée de n'importe qui alors qu'ils avaient longtemps été exclusivement prescrits par des médecins aux malades, ici ils faisaient déjà figure d'homéopathie. Doper la mémoire, on en parlait beaucoup dans les forums d'Oxford ; or il n'était pas question de produits ou de substances, ni même de kits de neurostimulation, mais bien d'interventions chirurgicales lourdes, délicates, irréversibles sur des sujets sains. Loin, très loin des effets d'une plante telle que la *Bacopa monnieri*, dont le nom mystérieux ne faisait rêver que les naïfs rescapés de bien des voyages. S'ils avaient su, s'ils avaient eu la moindre idée, si seulement ils s'étaient doutés de la vraie nature de cet étrange Français aux lunettes teintées et au chapeau cabossé qui les écoutait si attentivement, hybride de machine et de vivant...

Un mot revenait sans cesse tant dans les groupes de discussion qu'à la tribune. Un mot qu'il n'avait jamais entendu auparavant, du moins pas dans cette acception, dans un tel contexte : « singularité ». La notion qui y était associée semblait susciter une si mystérieuse ferveur qu'il ne pouvait s'agir d'un synonyme d'« originalité », de « non-conformisme », d'« extravagance » ou de « loufoquerie », encore que certains dans l'assistance correspondaient bien à ce dernier cas. Un petit homme qui avait tout d'un professeur émérite de l'université d'Oxford, le costume, la cravate, l'imperméable, à l'exception du sac de campeur solidement arrimé à son dos (encore que...), observait les réactions de Meyer, debout à ses côtés au fond de la salle. Un vieux fonds de militantisme, ou un ancien réflexe de prosélyte, le poussa à dissiper sa moue :

« Vous n'y croyez pas, n'est-ce pas, monsieur ?

— J'aimerais bien mais je ne comprends même pas ce que cela veut dire, du moins dans ce sens-là.

— Cela signifie tout simplement qu'à un certain moment de son évolution notre civilisation connaîtra une croissance technologique d'un ordre supérieur. Nous assisterons alors à l'avènement d'une intelligence supérieure à celle des hommes.

— Ah... Et c'est pour quand ?

— Entre 2045 et 2060. Ils y travaillent.

— Mais qui ça, "ils" ?

— Mais enfin, monsieur, vous réagissez comme s'il s'agissait d'une secte de complotistes ! s'offusqua le professeur émérite. Tout cela est très transparent. Les recherches se déroulent à l'université de la Singularité. »

Piqué au vif, Gustave Meyer se retourna vers lui et le toisa pour le coincer :

« Savez-vous ce que disait mon vieux maître dans ces cas-là ? D'où vient l'argent ? C'est toujours la clé. Dans sa jeunesse, il avait découpé une manchette de *L'écho de Paris* qui hurlait cette question et il l'avait placardée dans sa chambre d'étudiant, et ce leitmotiv l'avait suivi jusqu'à sa mort. Alors, d'où vient l'argent ?

— NASA, Google. Pourquoi ? »

Meyer en resta coi. L'orateur à la tribune proposa au public de suivre un entretien sur grand écran en direct de Californie avec leur gourou, un certain Ray Kurzweil, lequel expliquait qu'il avalait une trentaine de pilules et comprimés chaque matin au petit déjeuner pour se protéger du mal qui rôdait et mourir jeune mais le plus tard possible.

« Vous voyez cet homme à l'écran, reprit le professeur émérite aussi patiné que son sac à dos, c'est un génie. Il a inventé un nouveau modèle de pensée. C'est lui qui a cocréé l'université de la Singularité, Moffett Field, 20 Akron Road, au sud de San Francisco, dans la Silicon Valley, évidemment. Il travaille actuellement sur un néocortex artificiel branché sur nos synapses et connecté au Web. Et quel est son métier? Directeur de l'ingénierie... chez Google. Vous me croyez maintenant?

— J'aimerais vous croire mais cette idée d'augmentation...

— Vous portez des lunettes, manifestement. Alors vous êtes déjà un humain augmenté.»

Ce type de sophistes 2.0 l'exaspérait. Impossible de vraiment débattre avec eux. Lorsqu'il retrouva la jeune Américaine au buffet, elle le bouscula :

«À propos, vous faites quoi dans la vie?

— Pousseur de bois.

— Ah... Mais comment dites-vous ça en anglais?

— Je ne vous fais pas peur, n'est-ce pas?» lui répondit-il sans que le ton fût interrogatif, mais au signe qu'elle fit en effleurant du doigt ses propres lunettes, il comprit que ses verres fumés la gênaient; ce n'était pas seulement une question de politesse : on ne sait rien d'une personne tant qu'on n'a pas pénétré son regard, la seule chose qui la révèle et la trahisse vraiment, plus encore que la poignée de main.

«Peur? Pas peur, dit-elle en un large sourire qui se figea puis s'estompa à mesure qu'elle découvrait ses yeux. Vous avez l'air de vous cacher. Votre chapeau, vous ne l'enlevez jamais ?»

Il se découvrit lentement tandis qu'elle le dévisageait avec soin. Impossible que cette jeune femme, dont le badge épinglé sur sa poitrine indiquait qu'elle était chercheuse à la Texas A&M University sous le nom d'Eileen Hunter, ait jamais entendu parler de lui, en bien ou en mal, ou qu'elle ait jamais vu sa photo quelque part. Elle n'en paraissait pas moins profondément troublée par le *spectacle* de son visage. Son regard se fixait désormais sur le front. Au mouvement muet de ses lèvres, on eût dit qu'elle tentait d'y déchiffrer quelque chose. Comme un garçon passait un plateau sur les bras, elle attrapa au vol une serviette en papier aux armes du traiteur et, juchée sur la pointe des pieds, entreprit tant bien que mal d'y nettoyer des traces formant des sortes de lettres, marques qu'il attribuait au port du chapeau mais qu'elle croyait dues à celui d'un bandeau à électrodes, connecté mais mal ajusté.

«Mais arrêtez de bouger... euh... vous vous appelez comment déjà ?

— Vous entendez ?»

Il se retourna vers la gauche, puis vers la droite, attiré par un son, puis par une suite de sons, comme une mélodie. Pas vraiment «La Mantovina» mais quelque chose comme ça. Du regard aidé de l'ouïe il cherchait à en localiser la source. La petite musique s'interrompit brusquement. Dans la foule, il crut reconnaître une silhouette qui s'éloignait en écoutant un portable. Il n'en aurait pas juré mais cet homme, par sa stature, sa démarche, cette manière si particulière de se frotter le lobe de l'oreille droite quand la gauche était collée à l'écouteur du téléphone, lui rappelait irrésistiblement Jan, l'archiviste du Grand Hôpital. À moins qu'il n'ait été victime d'une double hallucination, visuelle et auditive. Après tout, depuis le début de la journée, il était entouré de gens qui au réel avaient substitué son signe.

De toute façon, ces étrangers devaient le prendre pour un étranger qui faisait honte aux étoiles, voilà ce qu'il ressentait. Si facile de se donner l'air spécial. On en connaît tous, des crétins qui s'emploient à se faire passer pour fous. Il les imaginait s'imaginant quelque chose comme ça et il en conservait une saveur amère.

Eileen Hunter l'entraîna dans un coin de la salle où un forum *off* s'était informellement constitué. Un groupe de discussion s'improvisait autour d'un point de détail, mais on sait qu'en matière de traduction le détail change tout. Ils disputaient de la façon la plus fidèle de rendre en français la notion-clé de *brain enhancement* ou sa variante *neuroenhancement*. Les uns tenaient pour «augmentation cérébrale», «amélioration cérébrale», «optimisation cérébrale». Ou encore pour «neuro-augmentation», «neuro-amélioration», «neuro-optimisation», certains même se montrant partisans de «dopage cérébral» et de «botox pour le cerveau » ! Mais n'était-ce pas s'en tenir à une dimension strictement quantitative de penser que ce qui est augmenté est nécessairement amélioré ? De toute évidence, ces gens ignoraient qu'il faut toujours considérer un humain dans sa globalité si on veut tenir compte de l'essentiel, à savoir le sentiment de soi.

« *Words, words, words !* » trancha un barbu à nœud papillon avant de clore la conférence par un éclat de rire censé réduire à néant la question qui y était agitée. Son assurance était telle qu'il donnait l'impression de l'avoir dépassée depuis longtemps. Le risque de déshumanisation ? Il balayait l'argument d'un *pffffit* accompagné d'un ample mouvement du bras qui exprimait largement son mépris. Il allait en répétant que la pensée humaniste avait échoué face à la barbarie et que cela suffisait à établir son acte de décès. La cyborgisation du cerveau était déjà intégrée dans sa logique et nul ne saurait l'en déloger. Inutile de dire que la perspective d'une aggravation des inégalités entre les hommes, les naturels et les trafiqués, ne les avait jamais effleurés. Les orateurs de l'institut qui les avait invités à débattre à Oxford exprimaient davantage de prudence et de nuances, réserve dont ils ne sortaient que pour prévenir des risques, des conséquences, des dangers.

S'il avait osé y prendre part, Gustave Meyer aurait suggéré que toute augmentation de l'homme qui ne serait pas réversible devrait être systématiquement récusée pour des raisons éthiques par les comités *ad hoc* dans chaque pays. Mais la tournure des débats inclinait à penser que le mot même d'«éthique» serait jugé déplacé. Il est vrai qu'un fossé séparait ces néohumanistes, qu'ils fussent trans ou post, de ce genre de souci dans la mesure où l'idée même d'opérer un sujet sain dans le but de l'améliorer ou de l'augmenter était récusée, en France notamment, par le Comité d'éthique. Une Italienne d'un certain âge, sans doute rescapée de tous les combats féministes des lendemains de 1968, assurait que la communauté scientifique concernée, entendez les membres de sociétés de neurochirurgie à travers le monde, était en majorité favorable à l'usage de la stimulation cérébrale profonde pour diminuer les pulsions criminelles chez les agresseurs sexuels.

Concerné, Gustave Meyer l'était par tous les débats auxquels il assistait en spectateur muet. Comment ne l'aurait-il pas été lorsqu'il entendait l'un des nombreux philosophes présents (après tout, le Future of Humanity Institute dépendait de la faculté de philosophie) réclamer davantage d'autonomie pour l'opéré du cerveau :

«Il doit pouvoir contrôler lui-même la télécommande permettant de modifier ses paramètres! s'énervait-il. C'est... c'est un droit de l'homme! Combien de temps encore allons-nous attendre que l'évolution nous procure un cerveau plus performant?

— Parfaitement! renchérit un autre. Après tout, puisque le patient s'administre lui-même ses médicaments, il devrait en être de même avec la stimulation de l'encéphale. Chacun doit pouvoir régler librement l'intensité ou la fréquence.

— Mmmmmmm!» fit Eileen à l'oreille de Meyer, assis à côté d'elle, esquissant un large sourire les yeux clos, de quoi suggérer un plaisir qui ne devait pas être éloigné de ceux procurés par la morphine, le rachacha ou la méthadone.

L'institut avait eu la main large et généreuse. Des spécialistes s'étaient déplacés de partout et tous n'étaient pas des radicaux obsédés par leur fantasme d'immortalité, tous ne rêvaient pas de faire disparaître la part fragile de l'humaine condition. La rencontre constituait une occasion unique de croiser des chercheurs à la pointe dans leur domaine, des dirigeants de start-up, des technoprophètes, des neurologues. Et des charlatans du neuromarketing qu'il identifia grâce aux portraits qu'il avait vus dans les dossiers de Klapman aux archives du Grand Hôpital. Et même quelques militaires, puisque nombre de psychostimulants avaient déjà été testés sur des soldats au combat afin de décupler leur mémoire après qu'on leur eut fixé des implants rétiniens permettant de voir dans la nuit noire. Mais quand Meyer, dont la curiosité était piquée au vif, tenta d'en savoir plus, on lui opposa un «Chuuuut!» aussitôt explicité par un «C'est un *Oxford secret*, voyez-vous», autant dire un secret qui ne peut être confié qu'à une seule personne à la fois.

Le grand projet européen de création d'un cerveau artificiel et le téléchargement du contenu de la conscience sur des puces de silicium y étaient discutés comme si leur mise au point était l'affaire de quelques années tout au plus. À croire que cette naïveté scientiste ignorait délibérément le fait qu'il n'y a pas de cerveau isolé.

Il prit du recul, les observa tous de loin et fut saisi de vertige à l'idée que ces gens-là détiendraient de plus en plus de moyens de dominer le monde et que les rares contre-pouvoirs paraissaient encore bien faibles et bien fragiles pour leur imposer des limites. Au fond, ils participaient tous peu ou prou, malgré leurs différends, d'une même idéologie dont les soubassements avaient quelque chose de religieux. Moins souffrir, moins vieillir, moins mourir. Leurs injonctions à la performance sonnaient comme des appels à une transcendance. Mais que pouvait-elle encore bien signifier dans leur bouche ? Quelle sombre défaite de l'humanisme... On les eût dits secrètement ligués contre le poète qui promettait de tout faire pour que la réalité ne soit pas une oasis d'horreur dans un désert d'ennui.

Soudain, Gustave Meyer ressentit des secousses au niveau de l'abdomen et de violents spasmes dans le cou. Sa tête prête à exploser. Rien à voir avec les convulsions épileptiques dont il connaissait bien les signes annonciateurs. Il s'éloigna du groupe, tituba, s'agrippa à l'épaule dénudée d'une dame qui poussa un léger cri puis se sentit irrésistiblement partir.

À son réveil, assise au bord du lit, Eileen lui caressa la main. Puis elle lui massa le front, s'approchant au plus près de signes qu'elle ne parvenait pas à y déchiffrer, et qui s'estompaient aussitôt qu'elle les touchait. Se doutait-elle qu'il pouvait avoir le front ensanglanté sans blessure apparente ? Un peu de musique assourdie traversait les murs. Quelque chose de «La Mantovina», lui semblait-il dans l'état éthéré de son demi-sommeil, mais interprétée sur un instrument inusité difficile à définir, dont le son paraissait assez proche du didgeridoo découvert dans le métro le jour de l'accident, mais rien n'aurait pu justifier cette présence aborigène à l'université d'Oxford. Quelqu'un devait répéter à côté, à moins qu'Eileen ait mis un disque en fond musical pour l'apaiser, ce qui aurait relevé d'un mauvais calcul car la musique n'adoucit pas les maux, on en jouait dans les camps d'extermination et elle ne s'était pas rebellée, elle ne s'était pas cabrée, elle n'avait pas dit non.

Les vacances des étudiants avaient permis aux organisateurs de loger les invités du colloque dans leurs chambres. Eileen l'avait ramené chez elle puis recueilli comme un réfugié. Elle savait les mots qui apaisent et les gestes qui soignent, mais de quoi ?

« C'est quoi ce *tattoo*, là ? fit-elle en posant le doigt sur la face antérieure de son avant-bras. Vous allez encore répondre à une question par une question, comme vous faites toujours ? »

Pas un mot ne pouvait sortir de sa bouche. Pas plus une question qu'une réponse. Il avait sa tête des lendemains de migraine, l'esprit embrumé par son voyage de retour de l'au-delà de Rothko, l'âme embuée à supposer qu'il en eût une. Ce qui s'appelle une âme humaine.

« Hier soir au cocktail, quand vous avez cru apercevoir quelqu'un que vous connaissez, vous vous rappelez... »

Il laissa passer une poignée de minutes avant de réagir.

« Le type qui téléphonait dans un coin ?

— Je me suis approchée. Et j'ai vu : avec sa main libre, il a sorti une sorte de télécommande de sa poche qu'il a tripotée, comme s'il suivait des ordres au téléphone.

— Je crois qu'on m'a reprogrammé. Regardez-moi bien dans les yeux et...

— Ça ne me fait pas peur, Robotspierre.

— Mais dites-moi ce que vous voyez, Eileen.

— Une détresse sans nom. »

Le soir même, en quittant Oxford sans se retourner, Gustave Meyer eut pour la première fois la conviction que ce qu'on lui avait fait, et ce qu'on avait fait de lui, depuis des mois et peut-être même des années, l'entraînait à son insu dans un milieu qui ignorait les limites. Un monde qui avait d'ores et déjà déplacé la ligne séparant le normal du pathologique.

8

Les révélations d'outre-tombe distillées tous les trois jours par Marie Meyer sur son blog commençaient à faire des vagues. Pas la première fois. Mais cette fois les principaux visés hésitaient à réagir : comment dénoncer les agissements d'une morte ? Nul n'osait de crainte de passer pour lâche. L'affaire s'annonçait d'autant plus délicate que les différents milieux du transhumanisme étaient plutôt portés à la discrétion, sinon au secret et à la paranoïa pour certains d'entre eux. Or réagir revenait à se découvrir. Ce dévoilement les faisait hésiter car, le plus souvent, on ne sort de l'ambiguïté qu'à ses dépens.

Le forum battait son plein. Le nombre de commentaires enflait de jour en jour. Comme souvent, des conversations se nouaient entre internautes, au grand jour mais clandestines, codées, subliminales car protégées par le pseudonymat. Si l'équipe du commandant Rocher alias Nina avait été un peu plus curieuse, elle aurait prêté attention à ce qui s'ébauchait entre une certaine « Émylou18 » et un certain « Golem ». Ils auraient fini par y lire en transparence non la naissance d'une histoire d'amour entre deux solitaires, mais la mise à l'épreuve d'une relation chahutée entre une fille et son père. L'une qui doute, l'autre qui ne sait plus. La nécessité de faire vivre l'ultime trace de la disparue les réunissait. Celle-ci n'avait pas seulement horodaté sa série d'articles, comme souvent ; elle en avait également réservé une copie à Emma en lui adressant par courrier une clé USB, précaution plus exceptionnelle. Comme si elle avait craint d'être empêchée.

Ce matin-là, en lisant le nouvel épisode de ce feuilleton en ligne, les habitués découvrirent à leur grande surprise que la morte avait posté un compte rendu des Rencontres d'Oxford qui venaient à peine de s'achever, et d'autant plus critique qu'elles avaient été vécues de l'intérieur. Un certain nombre de médias se firent l'écho de cette étrangeté. Sur le forum de Medicart, les spéculations partaient dans tous les sens ; et, comme de juste, la piste complotiste avait les faveurs avant que la meute des causeurs ne se livre à son sport favori : le hors-piste. Au détour d'un commentaire sur l'hypothèse du téléchargement de la pensée ou *mind uploading*, « Émylou18 » demanda à « Golem » s'il comptait voyager prochainement et dans quelle direction. Mais il n'y eut pas de réponse et leur échange s'interrompit là.

Rêver... voyager, voyager, voyager ! dans un lieu incertain entre état de veille et sommeil profond pour y mourir peut-être... Gustave Meyer avait décidé de s'enfuir nulle part, c'est-à-dire en Europe. Pas n'importe laquelle, encore qu'il eut du mal à la nommer. Europe centrale ? Mais elle n'était pas qu'au centre de la carte. Europe de l'Est ? C'eût été la marginaliser, mettre ses pays à part et à distance. Mitteleuropa ? Un surgeon de nostalgie habsbourgeoise. Disons juste la partie la plus redoutée car la plus chargée de la vieille Europe, ce continent qui compte deux millions et demi d'épileptiques. Depuis qu'il se savait golémisé, il brûlait de retrouver ses ancêtres, ses aïeux, ses parents. D'autres golems. Ceux qui l'avaient fait. Les siens.

Jamais il n'avait ainsi vécu un voyage comme une nécessité. Il devait y aller, sa récente prise de conscience l'imposait. Ses vérités, nul ne pouvait les entendre ; de toute façon, dans sa situation, elles étaient inaudibles. Tant que la police n'aurait pas démêlé l'écheveau qui avait conduit à la mort de Marie, il incarnerait aux yeux de tous le coupable absolu. Aux yeux de presque tous car il voulait croire encore que sa fille, *leur* fille, ne basculerait pas dans ce camp-là malgré ses incertitudes.

Prendre pied sur cette terre d'Europe où tout avait commencé, en respirer l'humus maudit, interroger le regard oblique des hommes, fouiller la généalogie des golems et prendre la mesure du chemin parcouru. Puisqu'on l'avait fait tel, il allait retrouver son autre famille.

Au fond, il partait à la recherche d'un lieu où surmonter la fuite des jours.

L'avion lui faisait horreur. De toute façon, la fréquentation des aéroports ne lui était pas recommandée par la Faculté, le système de stimulation cérébrale profonde pouvant interagir avec les portiques de sécurité ; il arrive en effet qu'ils produisent suffisamment d'énergie électromagnétique pour modifier la stimulation, sensible même aux petits aimants sur les portes des réfrigérateurs, et il n'avait vraiment pas les moyens de subir une nouvelle crise en public. Cette fois, il n'y aurait pas une Eileen pour le ramasser mais des employés récalcitrants aux mains gantées de caoutchouc.

Le train s'imposait. Bavards ou silencieux, les voyageurs y sont expressifs ; leur regard est déjà éloquent pour qui cherche à voir les yeux qui ont vu ; leur terre se reflète sur leur visage ; même si leur langue est inintelligible, et que la présence d'un mot déconcerte autant qu'un pavé disjoint, la musique qu'elle dégage parle à ceux qui sont là pour l'écouter.

Un Français peut se sentir étranger en France, son expérience sera tout autre lorsqu'il se sentira étranger à l'étranger ; ce qu'il dira aura le parfum de la parole de l'étranger et ce n'est pas un problème d'accent ou de lexique ; juste une question de sensibilité, de tremblement, d'inflexion.

Partout on aurait pu dire de Gustave Meyer qu'il venait d'ailleurs. En lui résonnait comme jamais auparavant un écho qui montait du fond de sa propre colonie pénitentiaire, celle qu'il avait intégrée dans sa chair, qui lui intimait de se taire comme il sied à ceux qui ne sont pas d'ici. Au fond, tout en enviant ces Français enracinés dans le terroir depuis des générations, et tout en étant convaincu qu'on n'est réellement français que si l'on a ses deux grands-parents ensevelis quelque part en Touraine, il ne se sentait bien qu'avec des gens nés ailleurs car ils partageaient une commune inquiétude. La vieille Europe lui étant une région inconnue, il alla selon son humeur où ses pas le menaient. On ne se perd jamais quand notre chemin tend vers ce que l'on ne connaît pas.

Parfois il descendait du train au seul énoncé du nom de la ville dans les haut-parleurs. Quel que fût le pays, c'était celui des ombres. Il avait toujours considéré comme un handicap pour les populations de ces pays d'être nées dans un passé si lourd, envahissant, dense. Il est vrai que la société y encourageait. La maladie historique l'avait si fortement gagnée qu'elle n'attendait même plus que l'événement soit consommé pour en faire un objet d'histoire.

On ne peut pas empêcher les gens de se souvenir au nom du droit fondamental de l'homme à la continuité. C'est plus fort qu'eux, même s'ils savent que leur angoisse existentielle diminuerait à proportion de la faculté à mettre à distance les souvenirs traumatisants. Être malheureux n'est pas tout, il faut savoir souffrir. Il traînait dans les rues comme un sans-domicile fixe, angoissé à l'idée de finir vraiment comme tel, oublié loin de tous, misérable en ce que le spectacle de sa misère le déshonorerait.

Sa mémoire oppressait son cerveau. Il croyait déjouer les pièges de la réminiscence parfaite ; mais au contact de ce passé-là, son inconscient dégorgeait ses traces les plus archaïques. Or qui n'est pas capable d'oubli se condamne à une existence de colère et de deuil. Ainsi le vivait-il. Depuis qu'il avait lu la nouvelle de Borges, il vouait un sentiment fraternel à son personnage, ce Funes affligé d'un vocabulaire infini pour la série naturelle des nombres, et d'un inutile catalogue mental de toutes les images du souvenir, Funes qui n'a pas besoin d'écrire ce qu'il a pensé : il lui suffit de l'avoir pensé une fois pour s'en souvenir à jamais.

Non seulement il se souvenait de tout en gros, demi-gros, détail, mais au souvenir d'un livre sa mémoire superposait automatiquement le souvenir du bonheur de lecture qu'il lui avait donné la toute première fois, et il en était ainsi pour un air de musique, un tableau, une photographie, un film et pour toutes autres œuvres de l'esprit assez puissantes pour lui expliquer ce qui lui arrivait mieux qu'il n'aurait jamais su le faire. Sauf que désormais cela lui pesait comme jamais. Ce qui ne lui fut jamais une joie lui était véritablement devenu une souffrance. Dans ses rêves les plus fous, son monde volait en éclats. Mais ne sommes-nous pas faits de la même étoffe que nos rêves ?

On eût dit cet homme guidé le jour par une colonne de nuée et la nuit par une colonne de feu. Invisibles aux yeux des autres vivants, elles le menaient. Il était venu au cœur de l'Europe pour se libérer de ses obsessions en les affrontant. Sa carte du Vieux Continent était zébrée de flèches et marquée de points. Son itinéraire obéissait à un plan très réfléchi que jamais un touriste n'aurait imaginé. Bien qu'il eût partie liée avec les échecs, aucun champion, fût-il grand maître, n'aurait réussi à le déchiffrer, pour ne rien dire des experts du jeu que Nina consultait régulièrement pour faire aboutir sa traque du fugitif. Gustave Meyer avait enserré les pays dans l'espace d'un échiquier ; les villes s'incarnaient dans des figurines, et les villages dans des pions. Il irait des unes aux autres en fonction d'une partie qui n'était reproduite dans aucune anthologie, et pour cause. Là où il l'avait lue, personne ne la trouverait jamais.

Un soir à Paris, alors qu'il dînait chez le peintre Avigdor Arikha, celui-ci l'emmena dans sa bibliothèque, et sortit d'un tiroir fermé à clé « L'innommable », une nouvelle dont son ami Samuel Beckett lui avait offert le manuscrit original. Ils le feuilletèrent délicatement jusqu'à ce que vers le milieu quelques dessins sur les pages verso attirent leur regard : un problème d'échecs. La curiosité de Gustave Meyer, qui lui vouait une grande admiration et savait sa passion pour le jeu, fut piquée au vif. Il en photographia mentalement les positions et les mouvements. Des années après, dans sa fuite, il décalqua sur une carte de l'Europe l'échiquier dessiné par l'écrivain et répercuta les coups qu'il avait imaginés. C'est ainsi que « L'innommable » et Beckett furent les guides souterrains de son Grand Tour.

À Cracovie, un vendredi, il acheta une chemise blanche dans une petite boutique du quartier juif de Kazimierz pour assister à l'office du shabbat rue Szerocka à Rem"ou, dernière synagogue en activité d'une ville où elles se comptaient par centaines dans le monde d'avant. Rien ne l'aurait fait déroger à cette façon d'entretenir un lien sacré avec le temps. Puisqu'il nous dépasse, autant s'en accommoder au plus haut de nous-mêmes. Seuls des personnages de souverains autoproclamés, nés de l'imagination folle des poètes et des romanciers, ont le pouvoir d'abolir le temps par décret. L'amertume venant après la douceur, sa prise de conscience de ce que le temps a d'irréversible, littéralement impossible à renverser, était douce-amère ; c'est encore plus lourd à supporter pour les choses de la vie saisies dans la banalité du quotidien que pour les grandes heures héroïques. C'est le temps, le vrai Tout-

Puissant. On ne l'a jamais vu suspendre son vol, les poètes ont de ces idées.

Si les Juifs n'ont pas inventé la semaine, ce sont eux qui l'ont transmise au monde. La semaine n'est pas naturelle mais intellectuelle. Le septième jour, instant d'éternité, tout s'arrête et on revient à l'origine ; on se retire et on rompt ; on s'y donne un temps hors du temps ; c'est le moment unique où le jour ne veut connaître d'autre événement que lui-même. Ce moment d'aspiration à la transcendance invite au sens de la limite ; les transhumanistes, pour ne rien dire des posthumanistes, pourraient ici en prendre de la graine. Bien qu'il ne fût guère pratiquant, Gustave Meyer n'avait pas le cœur fermé à la vérité, ni l'oreille sourde à la parole de Dieu.

Peu au fait des horaires locaux, Gustave Meyer était arrivé en avance. Il traîna dans une grande salle froide et impersonnelle qui faisait office de bibliothèque. Des journaux attendaient sur une table. La une d'une revue en yiddish l'attira. Il n'en comprenait pas les termes mais devinait que la photo, illustration de la véritable obscénité bien plus que tout gros plan à lumière crue d'une origine du monde, avait dû faire scandale : un *selfie* de trois jeunes hilares devant le portail *Arbeit macht frei*. Il se dit alors que parfois le réel en fait trop.

Quelques vieillards à chapeau, des habitués, se trouvaient déjà là, assis à bavarder contre les murs en pierre de chaux. Non parce qu'ils méconnaissaient l'horaire mais parce que la prière était devenue l'essentiel de leur vie. Ils en avaient hâte. La semaine disperse, le shabbat rassemble. L'un d'eux, ayant remarqué l'arrivée de cet étranger que sa discrétion isolait naturellement, vint s'asseoir près de lui. Voûté, quasi recroquevillé, il n'en était pas moins vif, et son débit, pétaradant. La conversation se lança sur la présence spectrale des Juifs dans ce qui avait été une ville juive avant de glisser sur leur bonheur partagé d'honorer l'arrivée du septième jour :

« C'est un commandement d'origine divine ! Mais il ne suffit pas de se souvenir de la main puissante et du bras étendu qui nous ont sortis de l'esclavage il y a... un certain temps, oui, en Égypte. Il faut en préserver la leçon qu'on en tire. La double injonction est énoncée dans un seul et même souffle. »

Manifestement, le vieil homme y puisait autant d'espoir que d'énergie. Il disait qu'il n'était pas de meilleur antidote que le shabbat contre la mélancolie. Gustave Meyer aurait voulu le croire mais une force sourde, quelque chose d'un obstacle archaïque en lui s'y opposait. Et alors que le vieil homme laissa passer nonchalamment un « Vous vous souvenez ? » dans la conversation, produisant une tension musicale qui perdura tout au long des silences, il reçut en retour une ébauche de confession comme s'il avait actionné le levier fatal à même d'ouvrir les vannes, oh moi, cher monsieur, ma mémoire précède ma naissance, j'aurais voulu la perdre, au lieu de quoi elle m'envahit et, le saviez-vous, on peut mourir d'un excès de mémoire, surtout ici chez vous dans cette vieille terre polonaise, ou roumaine ou moldo-valaque, là où le passé nous guette et nous attend, partout en Europe où l'Histoire pue, où la terre regorge de cadavres d'enfants livrés aux cendres et à l'oubli, où la peau du temps est rouge du sang versé et où l'on est parcouru de l'étrange sentiment d'être le contemporain des disparus plus que celui des vivants, car on vient tous de quelque part, n'est-ce pas ? oh je sais bien, on a besoin de l'Histoire mais vous connaissez, vous, la limite au-delà de laquelle son poids rend la vie irrespirable, et moi, voyez-vous, je ne parviens décidément pas à oublier tant le sang de l'Histoire coule dans mes veines, non pas l'oubli funeste de la *tabula rasa*, mais l'oubli positif qui veut régénérer car, voyez-vous, cher monsieur, ce n'est pas lui qui romprait la chaîne de la tradition, mais est-ce ma faute si je me souviens à saturation et que je n'évacue pas, jamais, tout événement se transforme en récits et s'accumule en couches sédimentées, si par extraordinaire il m'arrive d'avoir des trous de mémoire je les remplis avec des souvenirs imaginaires, des souvenirs et des regrets aussi, parfois je vois un frère en Thémistocle qui souffrait de se souvenir du nom de tous les Athéniens qu'il rencontrait, je suis un mais des multitudes sont en moi, et comme les plaies intérieures ne cicatrisent pas, je mourrai d'oppression à force de ruminer l'Histoire comme si elle m'avait envahi, ma capacité de mémoire est d'une plasticité telle qu'elle peut encore avaler le siècle à venir et son cortège de persécutions, de massacres, d'infamies, alors que j'ai déjà plus de souvenirs que si j'avais mille ans, je rêve d'être emporté dans une nuée non historique, au lieu de quoi mes cauchemars sont peuplés de morts qui enterrent les vivants ; sur quoi le vieil homme comprit que pour celui-ci un vaccin contre la mélancolie n'y suffirait pas.

Pourtant c'était bien ce que Gustave Meyer ressentait. Mais en observant autour de lui des hommes s'abîmer en prières et se frapper la poitrine, il fut sidéré par la capacité des Juifs à se rendre contemporains du passé. Ceux-là n'avaient rien d'exceptionnel, ils pleuraient la destruction du second Temple de Jérusalem par les légions romaines de Titus en 70 après Jésus-Christ avec la même détresse dans la voix et le même désarroi dans le regard que s'ils avaient appris la nouvelle la veille par le journal télévisé.

Ils avaient fait groupe autour de lui lors de sa conversation avec le vieil homme ; mais sa philippique avait atteint un crescendo d'une telle intensité qu'ils avaient depuis regagné chacun leur place. Même son interlocuteur, pourtant bienveillant, s'était brusquement éloigné après avoir sondé son regard. Ce qui avait fait aussitôt réagir Gustave Meyer, mais qu'est-ce que vous croyez, les hommes les plus ordinaires ont les mêmes tourments que les hommes, mais n'avait rien arrangé.

Le vide s'était fait spontanément autour de l'étranger.
Un homme se rapprocha de lui :

« Pardon, monsieur, mais c'est la première fois que
je vous vois ici. Vous êtes bien juif ?

— En effet.

— C'est parce que, avec vous, nous sommes dix.
Nous atteignons juste le quorum pour dire un kaddish,
voilà tout. Vous nous êtes précieux. Et surtout, ne vous
endormez pas !

— Je n'en avais pas l'intention, pourquoi ?

— Nos sages ont beaucoup disputé de cela : à la
synagogue, il n'y a que deux catégories de Juifs qui ne
peuvent plus être considérés comme tels pour la prière :
ceux qui s'endorment et le Golem. Parce que l'âme de
l'homme endormi monte au ciel et que l'anthropoïde
du Maharal de Prague en est dépourvu », expliqua-t-il
sans que Meyer sût au juste s'il n'avait pas prononcé
sans le faire exprès « anthropoyid ».

L'office commença. Le rabbin psalmodiait d'une
voix creusée et cendreuse. Chacun de ses gestes était
porté à un point exceptionnel de présence. Puis il parla
aux fidèles. Une certaine douceur émanait de son
visage ; elle faisait presque mal en le regardant ; aussitôt, l'émotion collective envahit les participants. Il parlait si lentement que le sujet était mort avant d'atteindre
le verbe. Ce qui ajoutait au fantastique. Meyer n'essaya
même pas de savoir ce qu'il disait. Le grain de sa voix
suffisait à le bouleverser. Mais lorsqu'il comprit qu'il

s'agissait d'un passage de la Genèse, «C'est mon frère que je cherche», deux mots énoncés dans un même souffle et dans une seule parole, des mots simples mais qui semblaient libérer une matière silencieuse bien plus vaste qu'eux, inexplicablement, il ne put retenir plus longtemps un sanglot dans la gorge.

À Vienne, sur le Neuer Markt, où il s'était rendu en suivant les mouvements de la partie d'échecs de Beckett, alors qu'il visitait la crypte sous l'église des Capucins, la plus grande concentration d'empereurs, d'impératrices et de reines au mètre carré, un embouteillage parfaitement KuK, ou *k. und k.*, autrement dit *kaiserlich und königlich*, il se mêla à un groupe de touristes. Le guide, un monsieur fort digne qui avait tout d'un aristocrate déclassé car désargenté, raconta le rituel d'admission du défunt dans la crypte. Lorsque la procession arrivait devant la porte, un héraut y toquait et une voix de l'intérieur, celle d'un capucin, résonnait d'un puissant : Qui désire l'admission ? Le héraut répondait en énonçant son nom et tous ses titres, ce qui suscitait immanquablement de la part du chœur des capucins un vibrant : Nous ne le connaissons pas ! Le héraut, pas découragé, s'y reprenait une deuxième fois. Qui désire l'admission ? Cette fois, il abrégeait ce qui provoquait un : Nous ne le connaissons pas ! À la troisième tentative, le héraut se contentait du nom assorti de la simple mention : Un homme mortel et pauvre pécheur, et la porte de la crypte s'ouvrait enfin...

À la fin du tour, l'un des visiteurs voulut coller le guide. Connaissez-vous l'identité complète du regretté empereur François-Joseph, je veux dire la liste exhaustive de tous ses titres ? À quoi l'interpellé répondit d'abord d'un geste ; puis il saisit le mouchoir blanc fiché dans la pochette de son veston en tweed, se tapota délicatement les lèvres comme s'il ne voulait surtout pas maculer de son postillon l'ombre glorieuse de son vénéré et, sans trembler, conjurant la moindre hésitation qui eût été blasphématoire, lui répondit d'un trait d'un seul : Sa Majesté impériale et apostolique, François-Joseph Ier, par la grâce de Dieu empereur d'Autriche, roi de Hongrie et de Bohême, de Dalmatie, de Croatie, de Slavonie, de Galicie, de Lodomérie et d'Illyrie, roi de Jérusalem, archiduc d'Autriche, grand-duc de Toscane et de Cracovie, duc de Lorraine, de Salzbourg, de Würzburg, de Franconie, de Styrie et de Carinthie, de Carniole et de Bucovine, grand prince de Transylvanie, margrave de Moravie, duc de haute et de basse Silésie, de Modène, de Parme, de Plaisance et de Guastalla, d'Auschwitz et de Zator, de Teschen, du Frioul, de Raguse et de Zara, comte princier de Habsbourg et du Tyrol, de Kybourg, de Gorizia et de Gradisca, prince de Trente et de Brixen, de Berchtesgaden et de Mergentheim, margrave de haute et de basse Lusace, margrave d'Istrie, comte de Hohenems, de Feldkirch, de Bregenz, de Sonneberg, seigneur de Trieste, de Kotor et de la Marche de Windisch, grand voïvode de la voïvodie de Serbie.

Le groupe l'applaudit discrètement comme s'il avait accompli une performance digne de figurer dans le Livre des records. Le guide leva les mains face à eux pour les en dissuader afin que la dignité des lieux fût respectée. C'est à peine s'il concéda que son énumération dégageait une agréable musique. Seul Gustave Meyer s'abstint de toute manifestation. Tout à sa sidération, les épaules basses comme accablé par le poids des titres, il s'éloigna vers la sortie en murmurant, Mon Dieu, mais comment l'Histoire peut-elle avoir été aussi perverse, cet homme était donc *aussi* le seul au monde à pouvoir se réclamer de cette double qualité inouïe, roi de Jérusalem et duc d'Auschwitz.

À Budapest, et plus précisément sur la place Vörösmarty, située au centre de Pest, le slogan du Parti lui revenait en mémoire, du moins le Parti selon Orwell : «Qui commande le présent commande le passé.» Le genre de maxime qui a dû être empruntée sans vergogne par un apparatchik à l'un de ces sages et érudits qui s'étaient abîmé les yeux sur les écritures de la kabbale pendant des siècles et dont les noms formaient déjà une douce sonate plus évocatrice que bien des traités d'histoire, Éléazar de Worms et Moïse de Burgos, Juda le Pieux et Isaac l'Aveugle, Hayim de Volozhyn et Élie de Genazzano, lesquels n'ont jamais eu, on s'en doute, le moindre rapport avec le marxisme-léninisme. Mais Gustave Meyer était si étourdi par sa découverte des griottes au cognac chez son inventeur même, le fameux Émile Gerbeaud du café Gerbeaud dont c'est encore la spécialité, qu'il mit l'anachronisme sur le compte de l'esprit d'escalier.

À Lodz, dans une église, il découvrit que le texte des Dix Commandements commence par « je suis » et se termine par « ton prochain ». Il y en avait un qui tendait la main sur les marches à la sortie. Meyer s'arrêta devant lui, fouilla dans sa poche. Mais le mendiant le regardait d'un tel air qu'il n'insista pas. Qui voudrait de la compassion de celui qui souffre plus que lui ?

À Wroclaw, jadis Breslau, en traînant à la cafétéria du centre communautaire de la rue Pawel-Wlodkowic à l'enseigne de la Cigogne blanche, il se surprit à remettre en cause jusqu'aux fondements du mal qui le rongeait. On lui avait toujours dit que son épilepsie venait d'un problème à la naissance, d'un déficit en oxygène. Ou de convulsions néonatales ayant entraîné une mauvaise vascularisation et une atrophie de la zone de l'hippocampe. Désormais il se demandait si cela ne relevait pas plutôt de la génétique. La fameuse malédiction ashkénaze. Il avait consulté le Center for Jewish

Genetics à New York. Il avait même fouillé un site ultraorthodoxe du nom de Dor Yeshorim qui s'en réclamait. L'un et l'autre pistaient le caractère héréditaire de certaines affections chez les Juifs d'Europe de l'Est et d'Europe centrale telles que la maladie de Tay-Sachs, le syndrome de Bloom ou la dysautonomie familiale. Cela ne donna rien.

À Kaunas, en observant un vieux barbu inexplicablement figé debout dans une attitude stoïque en pleine rue, il se souvint que lui-même, chaque 28 avril à 10 heures, où qu'il se trouvât dans le monde, il se tenait dans cette même position, comme pétrifié dans les épaisseurs du temps, afin d'observer deux minutes de silence en mémoire des victimes de la Shoah ; au même moment, des sirènes figeaient chaque année à la même heure la population israélienne dans cette attitude de respect. Encore et toujours l'injonction au souvenir, la mémoire endeuillée, sa manière à lui aussi de rester juif. Sa façon de proclamer qu'il ne suffit pas de naître tel, encore faut-il le demeurer. Que chacun habille son attitude comme il lui plaît, les religieux et les laïcs, les politiques et les humanitaires. Juste rester debout, ne pas parler et ne rien faire d'autre qu'y penser. Mais ce n'était pas la seule de ses dates : chaque 14 juillet, il s'arrangeait pour passer la soirée à la Comédie-Française quelle que fût la pièce, afin de jouir du bonheur d'être français en chantant *La Mar-*

seillaise avec la troupe sur la scène à l'issue de la représentation. Si Nina l'avait su, elle aurait patiemment attendu l'été et aurait été certaine de le coincer ce jour-là à la sortie place Colette.

À Bucarest, il sympathisa avec un libraire bibliophile qui possédait de rares exemplaires de l'œuvre de Samuel Beckett traduits en roumain. Tout en lui servant du thé assis entre les rayonnages de livres anciens, l'homme lui confia d'emblée que, par testament, il avait demandé la crémation pour lui-même et l'enterrement pour ses livres profanes les plus précieux ; de la littérature et rien d'autre ; il agissait ainsi en vertu d'une pratique recommandée par la tradition juive qui consiste à enterrer dans une *guenizah* des textes religieux dont on n'a plus l'usage mais qu'il est impensable de détruire en raison du caractère sacré qui s'y attache. Le libraire avait simplement déplacé le curseur du sacré. Devinant à ce détail que son visiteur était juif, il lui apprit que pendant la guerre la kabbale, version certainement vulgarisée du livre de la tradition mystique et ésotérique du judaïsme, avait été utilisée par l'idéologue de la Garde de fer et par les fascistes dans le but de mieux connaître, et donc de mieux combattre l'ennemi. Espérait-il lui en fourguer un exemplaire rare à un prix prohibitif ou lui révélait-il ces détails par pure volonté d'édification ? Le voyageur n'en voulait retenir qu'un mot, et pour cause : Si vous en voulez à quelqu'un pour l'antisémitisme, c'est au peuple, on le manipule comme on veut car le peuple est un golem.

Dans le train menant de Bucarest à Iasi, le bibliophile, qui rendait visite à ses enfants, s'assit face à lui et raconta : Autrefois, en cas de problème, le sage allait dans la forêt à un certain endroit, allumait un feu, méditait en prière et le problème n'en était plus un ; on ne sait plus où c'était ni ce qu'il disait, mais tant qu'on pourra raconter cette histoire, l'essentiel est sauf, disent les sages dans une parabole tirée de la kabbale. Déconcertant, mais ne dit-on pas que c'est un monde où apparemment rien n'est à sa place ? En l'absence de toute réaction de son vis-à-vis, l'homme expliqua alors que lorsqu'on parle yiddish on n'a plus personne à qui parler, ou presque, quand on parle judéo-espagnol, on n'a plus personne à qui parler, ou presque, et de toute façon, nous avançons dans un monde où il y aura de moins en moins de gens à qui parler. Puis l'homme se tut.

À Iasi, le cimetière juif se trouvait au faîte d'une petite montagne en surplomb de la ville. Au loin, les lignes de fuite et l'horizon perdu autorisaient toutes les échappées poétiques. Une vieille Rom, escortée d'une vingtaine de chiens faméliques, le gardait contre les voleurs de marbre. Des officiels y prononçaient parfois des discours devant une installation monumentale rappelant l'horreur des événements du 27 juin 1941, un massacre dont on parle encore comme si c'était hier, pas seulement parce que quelque quinze mille Juifs y furent assassinés par la police et l'armée roumaines, mais encore parce que les habitants furent autorisés sinon encouragés à mettre la main à la pâte, et ils ne s'en privèrent pas, particularité qui passa à la postérité locale sous l'appellation de « pogrom des voisins ». Et le Golem n'était pas là pour les protéger.

Tout était gris, sinistre, tragique, nombre de stèles étant rongées de mousse et de lichens, leurs inscriptions à moitié effacées, les tombes parfois éventrées, mais tout paraissait pourtant plus vivant que tant de musées. Le cimetière vivait de la conversation infinie de ses pierres tenues en éveil par les vents et lavées par la pluie, tandis qu'eux s'asphyxiaient lentement sous la poussière des siècles, usés par les regards incultes et les objectifs sans imagination des hordes. Il regardait le panorama d'arbres, de plaines, de monticules, de vallons ; l'histoire intime de cette terre lui remontait à la gorge ; et plus il la scrutait, plus s'inscrivait en lui un mot d'un grand écrivain français de la Première Guerre, un rescapé qui savait écrire et raconter ; il se surprit alors, d'un geste instinctif, à se protéger brusquement le visage de ses mains et de ses bras tandis qu'une voix intérieure répétait : « La guerre, c'est le paysage qui vous tire dessus... la guerre, c'est... » Peut-être aurait-il dû laisser le paysage infuser.

À Kiev, dans un restaurant proche du Maïdan encore enfiévré, peu après que des hommes en noir lui eurent assuré que des mitraillettes, des fusils et des munitions dormaient dans le sous-sol de la synagogue prêts à servir le cas échéant, il eut la surprise de découvrir qu'un cuisinier ou un garçon avait tracé à la fourchette « *Emet* » sur la purée de pommes de terre accompagnant sa côtelette Pojarski. La vérité, et rien d'autre.

Il aurait voulu se rendre à Dvinsk en Russie, devenue Daugavpils en Lettonie, où Marcus Rothkowitz, avant de se faire Mark Rothko, avait vu les couleurs du jour et les noirs de la nuit, et se rendre aussi dans tant et tant de villages et de collines. Seule le freinait l'idée d'affronter l'énigme de sa propre fin en traversant un pays en guerre où une mort inutile et absurde pour une cause qui ne le concernait pas l'attendrait au coin de la rue. Probable que si la police française détenait un mandat pour rester à ses trousses, elle interpréterait sa transhumance comme une fuite. Elle en était certainement persuadée. Pourtant lui ne s'était jamais autant senti pérégrin, allant par sauts et gambades à travers monts et vaux, sans attache, caressant le frêle espoir d'accéder à la cité céleste chère à Augustin mais sans pour autant renoncer à la vie terrestre. Puisque le bannissement du jardin d'Éden avait condamné l'homme à l'errance, il vivrait pleinement sa condition d'exilé dans les plis du passé.

À l'issue de ce Grand Tour qui devait tant à la passion de Samuel Beckett pour les échecs, il souffrit d'un indicible accès de nostalgie, la vraie, hélas, sans objet ni motif. Comme l'héroïne : pure, c'est la pire. Dans son hélas, il y avait tout ce que les regrets peuvent contenir d'échos de désolation. Il sentait que sa quête prenait un tour névrotique qu'il ne pouvait s'expliquer. Quelque chose comme un violent désir d'ancêtres.

Zakhor? soit, mais se souvenir comment et de quoi au juste ? Souviens-toi / n'oublie pas : la double injonction biblique le hantait. Exhorter un peuple à se souvenir et le culpabiliser de l'oubli, il fallait oser. *Car si jamais tu en viens à oublier le Seigneur ton Dieu, si tu adores et sers d'autres dieux, je t'en préviens aujourd'hui, tu disparaîtras.* Il avait lu ça jeune dans le Deutéronome 8 et l'effroi né de cette menace était durable. Le cinquième verset du psaume 137 le poursuivait. *Si je devais t'oublier, ô Ierouschalaïm ! que ma droite m'oublie.*

Depuis, il se souvenait de ne pas oublier. Il le vivait comme le commandement absolu. Mais au-delà ? Si, comme on le lui avait enseigné, cela n'avait pas partie liée avec la connaissance historique, de quoi cela procédait-il ?

Il avait arpenté les cimetières où les morts se taisent dans toutes les langues. Là où le vacarme des vivants n'étouffe pas leur musique. Il avait fait parler les pierres dans la crainte que Dieu ne recouvre le sang de son silence ; or rien n'inquiète la société comme le silence car rien n'est aussi attaché au spirituel.

Il avait hanté les archives des synagogues et compulsé les *Memorbücher*, ces livres du souvenir où les communautés consignaient les noms de leurs dirigeants, mais aussi les heures sombres des persécutions afin que les noms des martyrs fussent rappelés pendant les prières collectives. Il y avait éprouvé le silence vibrant du froid. Le passé l'avait fait se sentir ecchymosé de lui-même.

Il ne s'était jamais senti aussi craignant-Dieu. C'est bien de cela qu'il s'agissait *stricto sensu*. Cesser de chercher des mots qui embellissent la vérité. Se sentir nu face au néant.

Il n'était pas allé à Czernowitz, la ville de son cher Paul Celan, et il en conçut un immense regret. Mais partout où il avait été, un jour l'Allemagne avait noirci le ciel.

À la veille de la Seconde Guerre mondiale, on recensait seize millions de Juifs dans le monde, et environ cinq de moins au lendemain de la guerre. Aujourd'hui, ils sont à nouveau seize millions. Mais pas aux mêmes endroits. Entre-temps, leur civilisation a disparu. Ce constat d'absence engendrait chez Gustave Meyer une sensation de perte innommable qui le rongeait. La mélancolie l'envahissait à la seule pensée que ce monde s'était éloigné dans la brume jusqu'à s'y noyer, tout un monde défunt que nul ne reverra plus, un art de vivre, une langue, des mœurs, une culture dont les derniers témoins sont sur le départ et l'on sait que personne ne peut témoigner pour le témoin. Celui pour qui survivre rend insupportables les larmes des autres.

Le destin des Juifs d'Europe le hantait sans mesure. Le mystère allemand, l'intensité balkanique, cet excès d'histoire sombre résonnait en lui. Il avait déjà entendu cette note-là quelque part mais cette fois, à la faveur du choc provoqué par l'accident et des sensations de conscience qui s'ensuivirent, elle l'habitait et ne le lâchait pas, de jour comme de nuit, accablé de constater que les gens ne savent rien du passé du présent. Ou plutôt ils ne voulaient pas savoir. Qu'on ne leur parle pas du siècle des Ténèbres, le vingtième, étouffé par ses silences coupables. Il aurait voulu leur crier à tous qu'on peut bien se mettre la tête dans le sable pendant des années, survient toujours un moment où même le sable rougit d'une telle attitude.

Peut-être son imaginaire avait-il trop fortement réverbéré les événements. À trop les rêver, il leur avait appliqué une phosphorescence qui les avait métamorphosés. Lui qui espérait retrouver son Europe intérieure, il n'avait découvert qu'un champ de ruines. Que des paysages en ruine sur lesquels se détachait une humanité en ruine. On ne se méfie jamais assez des décombres : quand on touche à ce qui s'effondre, on risque d'être enseveli. Ce qu'il voyait ne lui permettait même pas de murmurer : Tant de souffrances pour tant de beautés… Seuls les cimetières ont gardé la trace de ce passé mal enfoui, mais les stèles de nombre d'entre eux ont déjà été arrachées pour paver les routes. Nulle part mieux qu'en Europe il n'eut le sentiment d'appartenir au passé de sa propre époque.

Plus qu'ailleurs l'Europe est le lieu où l'on fait corps avec les morts, d'os et de cendres ; car si chaque corps est historique, ici il l'est plus encore. Plus d'Histoire, plus d'histoires, plus de lien morbide avec le passé. Trop lourde, la mémoire est pénible à rudement s'accrocher des deux mains aux derniers vestiges et aux ombres.

C'était ici chez lui, dans ces pays à drapeau variable, sur ces terres à la nationalité précaire, partout où l'on pouvait dire que des Juifs avaient vécu avant de disparaître à jamais. Le fait est qu'il y éprouvait le mal du pays, ce qui le plongeait dans un état mélancolique qui développait en lui une terrible acuité du temps qui passe ; ce n'était pas le regret de la France mais la nostalgie de l'ancienne Europe.

Il n'y a pas si longtemps, ici même, le monde était sorti de ses gonds. Ce n'était pas un hasard si au creux de cette Europe-là tout ce qu'il y avait de défunt et d'étoilé en lui resurgissait, jusqu'à cette étrange décrépitude qui annonce la lente dépose du temps.

Il croyait aller à la rencontre de l'Histoire avec une

grande hache ; il espérait croiser les ombres familières de Peter Schlemihl, celui qui avait justement vendu la sienne, d'Ulrich, l'homme sans qualités, ou encore du vieux baron Trotta assistant à la désagrégation de son monde. Au moins y aura-t-il touché du doigt la seconde patrie que tout homme porte en lui et où tout ce qu'il fait est frappé d'innocence. Ce qui demeurerait à jamais inintelligible à ses juges.

Jusqu'à ce qu'un irrépressible vertige l'encercle, l'enveloppe et l'envrille lorsqu'il prit conscience que les rues de ces villes et de ces villages étaient pleines de Juifs qui n'étaient plus là.

Cela lui était intolérable. Il s'était juré de ne jamais laisser personne imposer une limite à son aptitude à ressentir le poids de la perte d'une vie. Que nul ne s'avise jamais d'oser mettre un filtre entre lui et ses morts.

Lui qui était venu se retremper dans le bain de la vieille Europe à la poursuite de ses démons, il avait fini par se plonger dans le silence de sa race.

9

Passé le pont Charles, les fantômes vinrent à sa rencontre. Il est vrai qu'il allait à rebours de l'amnésie de l'Europe. À Prague, tout le renvoyait à lui-même, tout résonnait en lui.

Plus il se laissait emmener par ses pas, plus le sentiment le gagnait qu'un homme était à sa poursuite. Chaque fois qu'il se retournait, une silhouette qui ne lui était pas inconnue disparaissait au coin de la rue, celle de l'archiviste du Grand Hôpital. Il s'en voulait d'être victime de ces hallucinations visuelles. Après tout, Jan étant d'origine tchèque, la présence d'un homme du même type n'avait rien d'extraordinaire dans les rues de Prague. S'il avait réussi à se rapprocher de cette ombre fugace, il y aurait peut-être découvert l'allure, sinon les traits, de Nina qui avait retrouvé sa trace.

Il faisait un temps mou. Gustave Meyer n'avait aucune envie de se lancer à la recherche des studios Barrandov où Julien Duvivier avait tourné une adaptation du *Golem* au mitan des années trente, un film hallucinant et improbable, oscillant entre la tragédie et la bouffonnerie, sauvé par la présence ivre d'Harry Baur en Rodolphe II de Habsbourg.

La réceptionniste de son petit hôtel dans Staré Mesto l'ayant pris en sympathie, car il n'osait croire que ce fût en pitié, elle repassa sa chemise blanche du vendredi avant de la lui déposer comme un cadeau sur son lit, sans un pli. Sur le chemin qui le menait du cœur de la vieille ville au quartier juif, des affiches annonçant une manifestation d'échecs accrochèrent son regard. Le coiffeur chez qui l'une d'elles était apposée eut la bienveillance de traduire : une rencontre internationale... de nombreux prix... un sommet très attendu entre deux grands maîtres internationaux...

Ainsi, malgré sa disparition, tout avait été maintenu. Peut-être même les organisateurs en avaient-ils fait un argument sinon un effet d'annonce. Un événement, mais pas le seul de cette ville qui, une fois libérée du communisme, s'était empressée de se vendre au tourisme, dépassant même Venise en âpreté au gain et en nombre de visiteurs. À vrai dire, Prague bruissait de mille et un événements de toutes sortes, les concerts dans les églises baroques et les palais décatis rivalisant pour attirer le chaland.

À Josefov plus encore que dans les autres coins de la ville, la figure du Golem se répandait dans les vitrines, les rayonnages et les étalages, et dans tous ses états et sous toutes ses formes, de plâtre ou de verre, rassurant ou menaçant. On en aurait oublié qu'au fil des siècles, de rajouts en métamorphoses, il était devenu de plus en plus dangereux et désobéissant, évolution que l'on attribuait généralement à la peur de la technique et à la phobie de l'Autre. Gustave Meyer entrait dans les magasins où les statuettes étaient exposées comme on se rend en visite dans la famille. Qui sait s'il ne les saluait pas. Nul parmi ces boutiquiers n'aurait pu se douter qu'il était des leurs. Non les boutiquiers mais les golems. Encore que ce petit homme qui portait son chapeau en arrière du crâne à la manière d'une kippa, plus ancien que vieux, et si las de sa fonction qu'il ne faisait même pas l'article à ces Chinois qui le dérangeaient dans sa lecture, fût intrigué par ce client que la chaleur dégagée par les chauffages d'appoint avait poussé à se déboutonner et à retirer son chapeau.

Peut-être un amateur d'échecs. Ils devaient être nombreux dans la ville qui avait vu naître le grand Steinitz, maître en stratégie. Toujours est-il qu'il se leva doucement de sa chaise sans le quitter du regard, abandonna son livre sans même y planter un fantôme, renvoya ses clients vers une employée et s'approcha de lui. Il paraissait hypnotisé. L'avait-il reconnu ? Tout à sa sidération, il s'adressa à l'étranger en tchèque, puis en yiddish, enfin en hébreu. Gustave Meyer connaissait plusieurs langues ; il pouvait engager une vraie conversation dans certaines d'entre elles mais seule la langue de son enfance lui permettait d'exprimer le silence.

Une langue que personne ne parlait ni ne comprenait, faite de tant de riens si denses. Remonter à la source et aux origines revenait à enquêter pour retrouver ceux qui la parlaient et la comprenaient encore.

Incrédule face aux silences que lui opposait Meyer, le commerçant s'avançait vers lui, le regard fixe, en répétant «*Emet... Emet...*» tout en se touchant le front. Il avait de toute évidence une vision. La scène était d'une telle intensité que l'ensemble des clients du magasin s'était figé dans un même élan et une même stupéfaction. La vie semblait à l'arrêt. Un Chinois ne put s'empêcher de prendre une photo au moment où le propriétaire s'effondrait sans que l'on sût si c'était à cause de la puissance du flash ou sous le coup de cette révélation. Lorsque les employés l'eurent relevé pour l'allonger sur une banquette, l'étranger avait disparu pour se perdre à nouveau dans les ruelles déjà sombres de Josefov.

Au centre de l'ancien ghetto, ses aïeux semblaient réunis en un chœur improbable pour lui hurler leur présence à travers les murs. Si ce n'était par un objet, c'était par une affiche, un livre, une carte postale, un film. Leur cri avait les accents d'un désespoir venu du fond des âges, jusques et y compris dans ses expressions les plus modernes.

Un panneau invitait à assister dans un sous-sol à une pièce de théâtre qui l'intriguait. Non par son propos, car il n'en savait rien, ni parce que les représentations s'enchaînaient d'heure en heure ou quasiment, mais par le titre : *R.U.R.* Un certain Karel Capek en était l'auteur. La salle, dont la contenance n'excédait pas une trentaine de places, fut vite remplie. Le programme distribué à l'entrée en plusieurs langues attestait de la fortune que le Golem avait connue sur les planches à Prague, à Berlin, à Moscou, au cours des vingt premières années du vingtième siècle, jusqu'à inspirer un opéra. Meyer ne mit pas longtemps à comprendre que le terme même de « robot » venait de cette pièce *R.U.R.* c'est-à-dire *Rossum's Universal Robots*. De *robota* qui signifie « travail forcé » en tchèque et du nom de la compagnie qui fournit les sociétés en machines de ce type, mécaniques androïdes dépourvues d'âme. C'est elle, la responsable de la mue du Golem d'argile en créature métallique dotée d'une intelligence artificielle, d'une mémoire sans limites et d'une puissance de calcul hors du commun, qui en font un rival du Tout-Puissant. Il lui fallut quitter le théâtre de poche pour comprendre enfin pourquoi ce *R.U.R.* le hantait alors qu'il n'en avait jamais entendu parler. La vision des sous-sols du Grand Hôpital revint alors l'envahir, les multiples codes pour y pénétrer, les couloirs menant aux archives et l'énigmatique inscription taguée sur un mur lépreux : « ChiRURgien ».

Tant de photos se bousculaient ainsi dans sa mémoire que cela en devenait parfois intenable. Il avait perdu le moyen d'en maîtriser le flux. Seules les images d'échiquiers, reproduisant les schémas et positions de dizaines de milliers de parties historiques, surgissaient sans effort ni souffrance.

Au détour d'une rue, il crut reconnaître la pleurante des rues de Prague, géante claudicante foulant le vent hors du visible, créature de boue, de murmures et de larmes, aux hardes couleur de terre et de muraille, qu'il avait un jour rencontrée dans un livre de l'écrivain Sylvie Germain.

L'heure de l'office approchant, les touristes n'avaient plus le droit de visiter la synagogue Vieille-Nouvelle. Son nom ne manquait pas d'intriguer. Elle date de 1270 mais a survécu à tant de pogroms, d'incendies projetant des boules de feu aux douceurs de cendre, de destructions, d'assainissements et de reconstructions alentour que cet édifice gothique parmi les tout premiers de la ville passe pour immémorial. Les fidèles prirent place. Quelques vieux Praguois, cinq ou six hassidim, une poignée d'étrangers de passage, tous très reconnaissables. Ils se dévisageaient avec le sourire. On eût dit qu'ils n'en revenaient pas chaque vendredi, que ce fût ici, ou à Lausanne, à Venise, à Tanger, à Bombay, de vérifier que les Juifs réussissent à être un tout en demeurant si dissemblables.

S'il avait voulu faire parler ces murs, il lui aurait suffi d'aller de vieux en vieux. Après s'être installé sous l'étoile de David où se tenait quatre siècles avant lui celui qui donna vie au Golem, le chantre rivé au pupitre de pierre lança la prière et c'est aux airs et aux accents que l'écart se creusa entre les fidèles.

Gustave Meyer avait pris place au hasard mais contre un mur de manière à faire face tant à la chaire cernée d'une grille gothique en fer forgé qu'aux meurtrières creusées dans le mur, de sorte que les femmes, de l'autre côté de la paroi de séparation, recueillent les échos des psalmistes. Des bruits sourds, répétés, cadencés, venaient du dessus. Lui seul leva les yeux vers les hauteurs. On eût dit les pas lourds du Golem dont la légende disait que le rabbin Loew l'avait enfermé au grenier après qu'il fut pris de folie destructrice.

Rarement les prières du shabbat l'avaient transporté comme en ce jour et en ce lieu, et son émotion n'était pas purement esthétique. Le fauteuil à sa gauche était vide ; mais en y posant son regard avec insistance, il crut y voir son père. Tant d'années après, il ne se remettait toujours pas de son absence, mais un fils s'en remet-il jamais ?

Une heure après, lorsqu'il se leva, il ne put s'empêcher de lire le nom du propriétaire du fauteuil sur la plaque dorée vissée au faîte du dossier. Une habitude mue autant par la curiosité pour les patronymes locaux que par reconnaissance pour l'hospitalité accordée. Il crut y lire « Gustav Meyer » sur le sien et « Marcel Meyer » sur celui à sa gauche ; il n'en était pas certain car les larmes lui brouillaient la vue.

À la fin de l'office, il remit dans le panier tressé la kippa qu'il avait empruntée. Dans le vestibule, juste avant de franchir l'étroite porte de la synagogue, il se retourna vers l'escalier de pierre menant au grenier. Puis il récupéra son chapeau et se joignit à de petits groupes de fidèles qui bavardaient dans la rue Cervena. Comme un responsable de la sécurité leur demandait de ne pas stationner, ils migrèrent lentement tout près de là vers la rue Maislova, devant l'hôtel de ville juif où d'autres gardes les repoussèrent également d'un simple geste ; ils se déplacèrent jusqu'à la façade nord du bâtiment, sous le pignon portant la fameuse horloge au cadran numéroté en hébreu, dont les aiguilles tournaient à l'envers, cette langue se lisant de droite à gauche. L'hiver tirait à sa fin, et ils n'étaient pas pressés de rentrer chez eux, l'heure du dîner étant encore assez éloignée.

Meyer n'avait pas fait quelques pas qu'un homme se détacha pour le héler : «Monsieur, hé, monsieur ! vous ne vous seriez pas trompé de chapeau par hasard ? — Attendez voir, en effet, mille excuses.» Ils en rirent comme de vieux amis ravis de leur farce réciproque, s'échangeant leur couvre-chef avec une gestuelle de films muets.

«Savez-vous, interrogea le fidèle, que cela aurait pu nous mener beaucoup plus loin ?

— Jusqu'où ?

— Un jour, c'était un dimanche, un homme s'est

trompé de chapeau après la messe à la cathédrale du Hradschin. Il s'en est rendu compte pendant la nuit, en découvrant le nom de son propriétaire brodé en lettres d'or sur la soie de la doublure : un certain Athanasius Pernath. Et cette méprise l'a entraîné dans une histoire fantastique. Si cela vous intéresse, c'est raconté dans un roman. *Le Golem*, vous connaissez ? »

Il y eut comme un blanc dans la conversation. L'étranger réajusta son chapeau, son *propre* chapeau *à lui*, pour se donner une contenance. Son trouble était manifeste. Tout en lui hurlait : J'ai tellement de golems en moi que je ne suis pas : j'entresuis !, mais il étouffait son cri. Il se présenta pour faire diversion, mais il le fit sans prudence, sous sa véritable identité, persuadé qu'il se trouvait loin du monde, protégé par les murs invisibles de l'ancien ghetto :

« Gustave Meyer.

— Je sais.

— Pardon ? fit-il, stupéfait.

— Vous pensez bien qu'un vieux Juif praguois comme moi sait que le vrai nom de Gustav Meyrink est Gustave Meyer.

— Mais qui est Gustav Meyrink ?

— Oh il est mort il y a longtemps, au début des années trente, je crois. C'était l'auteur du *Golem*. »

Ils firent quelques pas dans Parizska, la bien nommée avenue de Paris, puisque le début du shabbat ne permettait pas au religieux d'aller au café. Si son visage n'avait pas été aussi dissimulé, et plus encore par l'écharpe de laine qui l'abritait du froid, il aurait pu constater à quel point cette révélation bouleversait l'étranger. Son visage arborait l'expression d'un homme qui a renoncé à comprendre le fond et la raison des choses.

La conversation s'engagea sur le roman comme s'il venait de paraître et que sa brûlante actualité le propulsât sur toutes les lèvres alors qu'il avait été publié pour la première fois en 1915 en allemand et treize ans plus tard à Paris par les bons soins des Éditions Émile-Paul, lesquelles avaient eu du nez car son succès ne s'était pas démenti.

L'étranger paraissant très curieux de la personnalité de ce mystérieux homonyme, le vieux Praguois lui brossa le portrait d'un écrivain d'occasion à la destinée tortueuse, fils naturel d'un aristocrate allemand et d'une comédienne juive, né à Vienne et aussitôt baptisé protestant sous le nom de sa mère, nommé jeune à la tête de la banque Meyer & Morgenstern à Prague, passionné d'occultisme, d'ésotérisme, de théosophie, de mystique, et candidat permanent au suicide, ce qui n'était peut-être pas sans lien, allez savoir, pratiquant l'épée et l'aviron, ruiné à la suite d'une escroquerie familiale, reconverti dans la littérature, qui vivait de sa plume et de ses traductions, commit l'erreur de traîner en justice un folliculaire qui l'accusait d'être juif, ce qui n'était pas très confortable il est vrai à la veille de la prise du pouvoir par Hitler et sa bande, bouleversé par le suicide de son fils paralysé à la suite d'un accident de montagne, et dans l'année même de cette tragédie, se laissa mourir de froid par une nuit glacée alors qu'il était perclus de maladies, la poitrine dénudée devant la fenêtre grande ouverte de sa chambre...

« Et savez-vous, cher... euh... monsieur Meyer, ce qu'avait fait inscrire Gustav Meyrink sur sa stèle ? Non, bien sûr, vous ne pouvez pas le savoir. Un mot, un seul : *vivo*.

— Je suis vivant.

— Vous l'avez dit. »

Puis ils se séparèrent avec force *shabbat shalom !*, chacun soulevant son chapeau, comme jamais ne l'auraient fait des religieux. Meyer attendit que l'homme disparût au bout de la grande artère bordée de boutiques de luxe pour se rendre un peu plus loin rue Kaprova, à la librairie Fiser. *Le Golem* de Meyrink y était naturellement disponible en plusieurs langues. À défaut d'une édition française, il choisit l'allemande. Au fond, lorsqu'il avait effectué ses recherches chez les dominicains de la bibliothèque du Saulchoir, son attention avait été tellement focalisée sur les racines kabbalistiques de son ancêtre qu'il en avait oublié de s'intéresser aussi à ses prolongements littéraires les plus récents.

Un café accueillant, chaleureux, juste assez bruyant pour signaler la vie, était ouvert ; il se laissa choir dans un fauteuil en cuir patiné aux ressorts des plus sonores. Puis il fit connaissance avec les personnages, si bien saisis dans leur vérité qu'ils ressemblaient à certains des consommateurs alentour, le brocanteur Wasserturm, la putain Rosina-la-Rousse, l'oculiste Wassory qui en vient parfois à crever les yeux de ses patients ou presque, et puis Hillel et le Pernath du début ; mais Innocent Charousek l'intriguait particulièrement car l'étudiant en médecine, fils naturel du brocanteur, s'y exprime souvent en usant de métaphores échiquéennes, et pour cause : l'auteur lui a donné le nom d'un fameux grand maître hongrois, spécialiste du gambit du roi, mort prématurément de la tuberculose à vingt-six ans.

Le romancier avait de bout en bout tenu la note juste du fantastique en procédant par associations d'idées, grâce à des rêves reliés à la mémoire et à la vie par des labyrinthes, ce qui faisait progresser son intrigue dans un onirisme très visuel.

Sa lecture ardente, accompagnée de grands bols de chocolat chaud qu'il semblait absorber en continu tant il les commandait à la suite, l'amena jusqu'à la fermeture de l'établissement, alors que les garçons rangeaient déjà les chaises sur les tables. Il ne lui manquait plus que quelques pages. Dans la rue déserte, elles ne résistèrent pas à sa curiosité, piquée au vif depuis quelques heures. En refermant le livre, il se mit à scruter les trottoirs de la Parizska dans le vain espoir de retrouver le vieux fidèle de la synagogue. Juste pour le remercier et lui faire part de sa stupéfaction. Car ce roman inspiré de la vieille légende du Golem, ce roman qui eut un succès et un retentissement considérables au temps de sa parution, était tissé des codes et clichés antisémites les plus éculés, cuits et recuits, du romantisme allemand.

Et dire qu'il se retrouvait là désormais, au cœur vibrant de ladite Golemstadt, ce livre ambigu dans sa poche, se retournant à intervalles réguliers pour vérifier que l'homme de confiance de son meilleur ami, le professeur Klapman du Grand Hôpital, n'était pas à ses trousses... Le ghetto de Prague n'était plus qu'une attraction touristique depuis des années mais, comme tant d'autres, Gustave Meyer s'était enfermé dans son propre ghetto intérieur. À ceci près que le sien tenait dans les limites d'un échiquier.

Une réflexion lasse et désabusée, que le libraire avait laissée échapper quelques heures avant en lui vendant le livre, lui revint en mémoire : Qui peut dire qu'il *sait* quelque chose sur le Golem ? Il avait bien insisté sur le verbe. Une somme impressionnante d'écrits, plus érudits les uns que les autres, avaient été publiés en maintes langues sur le sujet au cours des temps, mais le déploiement de cette science ne changeait rien à la légende. On eût dit que chaque commentaire savant augmentait la puissance du mythe. Jusqu'à ce que la rumeur diffuse, à l'égale d'une information de dernière minute, la nouvelle selon laquelle la lourde silhouette du vrai Golem des origines avait été aperçue une nuit dans le quartier. Sa réapparition était signalée tous les trente-trois ans depuis le dix-septième siècle. Sa résurrection périodique trouvait sa cause et sa nécessité dans un lancinant besoin d'exister. Le rituel ne variait pas : l'individu au physique inhabituel et au regard étrange marchait en vacillant, il venait de la rue de la synagogue Vieille-Nouvelle, traversait l'ancien ghetto et, parvenu à son extrémité, était rendu à son invisibilité. Cette nuit-là, Gustave Meyer rêva qu'il lui courait après à en perdre le souffle ; l'ayant rattrapé, il se retrouvait face à une ombre grise qui lui tendait la main, comme le ferait un père à son fils dans la détresse.

Une pluie fine faisait scintiller les pavés. Puis ce furent des lances qui tombèrent du ciel, le forçant à presser le pas. Dès que le ciel se fut calmé, Gustave Meyer se rendit sur le pont Charles reliant le Petit Côté à la vieille ville. Il erra un long moment entre les statues de saints dominant les parapets. Au christ doré en croix, il s'arrêta, intrigué, non par la mention INRI au-dessus de sa tête, mais par une large inscription en hébreu qui le ceinturait de part en part. « Saint, Saint, Saint Dieu », disait-elle tandis qu'en son socle une inscription gravée rappelait que l'œuvre avait été payée en 1629 avec le *Judengeld*, l'impôt des Juifs, en réparation d'un blasphème.

Le lendemain, le ghetto l'attira à nouveau à lui. À croire que là plus qu'ailleurs il se trouvait dans la

moelle de son histoire. Cette fois, il se rendit rue
Siroka à la synagogue Pinkas. Non pour y prier mais
pour y lire. Non dans un livre mais sur les murs. Ses
fondations remontaient au onzième siècle, mais depuis
la fin de la guerre elle avait été transformée en mémorial destiné à marquer le souvenir des Juifs tchèques
déportés et exterminés.

Ses parois étaient recouvertes de leurs 77 297 noms
en rouge suivis de leurs prénoms, dates de naissance
et de mort, en noir. Des hommes, des femmes, des
enfants. Une vision rendue oppressante par l'absence
du moindre espace entre eux. Tous se tenaient les uns
contre les autres. Comme dans les wagons. Pas le
moindre blanc, à peine une respiration. Grünewald,
Steiner, Morbegerova, Penizek, Lederer, Schnabel,
Hahn, Kafka, Weinstein, Svobodova, Kreissl, Gross,
Eisner, Broda, Stern, à jamais au coude à coude. Les
visiteurs, peu nombreux, semblaient pétrifiés. Un
silence ailé régnait partout, toute parole abolie.

Il s'attarda longuement dans chacune de ces salles
dans lesquelles un artiste très contemporain n'aurait vu
qu'une installation. Une petite pièce adjacente l'attira ;
des dessins d'enfants, réalisés dans les camps, y étaient
exposés derrière des vitres ; l'un d'eux, représentant un
personnage monstrueux, était intitulé d'un crayon de
couleur tenu par la main d'un petit : *Le Golem de
Terezin*. S'il ne s'était retenu, la main sur la bouche, il

aurait prononcé un mot, un seul; mais le son qui en serait sorti n'aurait pas été de ce monde.

De retour dans la salle principale, il remarqua une jeune femme à la tête enveloppée dans une chapka; elle s'appuyait contre un mur constellé de noms pour pleurer discrètement; mais bientôt ce fut du mur que tombèrent les larmes. Gustave Meyer, qui se trouvait un peu plus loin derrière elle, dans cette pièce dénuée d'autres présences vivantes, s'approcha doucement. Ne trouvant ses mots pour la réconforter, ignorant même en quelle langue lui parler, il se contenta de poser une main sur son épaule. Alors la jeune femme se retourna et se réfugia tête baissée dans ses bras. Lorsqu'elle leva enfin ses yeux mouillés vers lui, il découvrit la personne qui lui était la plus chère, sa propre fille, Emma.

« Pardon pardon, je me doute que ça ne te fait pas plaisir, mais je ne pouvais pas faire autrement, il fallait que je vienne te retrouver.

— Ce n'est pas ça, c'est juste que…, dit-il en un mouvement de recul, sans même dissimuler sa surprise, que j'essaie de comprendre pourquoi et comment.

— Mais il n'y a rien à comprendre. J'ai suivi ta trace grâce à tes messages sur le blog de maman. Après, je m'en suis remise à la connaissance que j'ai, tout de même, de mon petit papa, depuis le temps, non? Tu m'as tellement appris à anticiper la logique de l'autre quand tu m'as enseigné les échecs qu'il m'en est resté quelque chose. Écoute-moi bien : je suis là pour t'aider. Je sais que tu n'as tué personne. Tu comprends ? Je-le-sais ! Nina de la PJ parisienne est à Prague depuis hier soir...

— Quoi ?

— Tout va bien se passer. Tu auras tout le temps de t'expliquer. Elle est commandant de police. Un grand flic, tu verras. »

Il se défit brusquement de son emprise, se mit à faire les cent pas, ce qui ne lui ressemblait pas. Il se sentait trahi. Où qu'il aille, il se cognait aux noms des spectres qui le cernaient. Sa tête allait exploser. Partons, partons vite ! lui intima-t-il.

L'instant d'après, ils marchaient côte à côte, main dans la main, dans le chemin de ronde du vieux cimetière tout près, parmi les quelque cent mille tombes superposées en douze couches et enchevêtrées les unes aux autres en quinconce, dans un chaos imposé par l'interdiction faite aux Juifs d'être ensevelis ailleurs entre 1439, date du premier enterrement, celui d'Avigdor Kara, et 1787, date du dernier, celui de Moïse Beck.

Le père et la fille n'échangeaient pas un mot. Le silence naturel des lieux, à peine troublé par la rumeur venue de la ville, imposait le respect. De toute façon, depuis qu'il avait entrepris son périple, à mesure qu'il se rapprochait de sa lignée, Gustave Meyer se sentait devenir de plus en plus taiseux. À croire qu'il s'était juré de rejoindre le premier des golems dans son mutisme. Il n'avait pas besoin d'explications pour saisir que sa fille l'avait compris. Il n'en craignait pas moins la venue de Nina. Pourquoi avait-elle fait le voyage à Prague si ce n'était pour l'empêcher de mener son plan à bien et d'aller jusqu'au bout ?

Ils s'arrêtèrent devant certaines stèles, la fille demandant au père des éclaircissements, comme elle l'avait toujours fait en toutes circonstances car à ses yeux il était censé tout savoir, cette fois sur les symboles gravés, ici les mains jointes d'une famille Cohen, là le cerf d'une famille Hirsch. Il paraissait calme, presque apaisé quand il perdit soudainement son sang-froid, comme ç'avait été le cas à la Tate Gallery ; il ne put s'empêcher d'interpeller des touristes qui marchaient tranquillement l'oreille collée à un audioguide. Mais lâchez donc votre machine et sa voix mécanique ! Écoutez plutôt les voix d'outre-tombe ! Elles vous parlent, c'est à votre âme qu'elles s'adressent et c'est autre chose ! Votre prothèse technologique vous fait rater les paroles du silence venues du plus profond de la nuit, regardez, c'est comme si les morts soulevaient les pierres...

Déjà un garde accourait tandis que Meyer ne décolérait pas. Emma l'entraîna aussitôt au-dehors, vers la sortie où ils n'eurent pas la mort mais le jour au cœur. Elle lui répéta qu'elle l'aimait ; en retour, il lui avoua qu'il eût été triste à jamais de l'absence de ce mot qui ne serait pas venu.

En marchant, il lui fit enfin part de ses projets, n'imaginant pas un instant être trahi par sa fille, fût-ce pour son salut. Elle l'aiderait, sa parole lui suffisait. En chemin, sachant la passion de son père pour la musique, et plus encore pour le concert, ce partage de tant de solitudes accrochées quelque part pendant un instant, développant quelque chose de mystique dans la relation avec les grandes puissances de la vie, Emma l'entraîna dans une salle de concerts où ils pourraient aisément se fondre dans la foule. C'était au Rudolfinum, l'ancienne Maison des artistes devenue un joyau d'architecture néo-Renaissance pour y abriter l'orchestre philharmonique tchèque. Mozart, Vivaldi, Dvorak, Smetana au programme. Un concert honnête et sans surprise, à peine troublé par une première sonnerie de portable, un grésillement insupportable dont on imagine difficilement qu'un être dit humain eût aimé l'écouter voire l'entendre, suivi quelques instants après par un autre qui troubla Meyer bien davantage. Il bougea la tête dans toutes les directions, agrippa si fortement sa fille au bras qu'elle crut au déclenchement d'une crise d'épilepsie, jusqu'à ce qu'il la rassure :

«Mais non, tu as entendu ce portable? cette musique?

— Et alors?

— Jan est là, j'en suis sûr, il me suit. C'est la musique de "La Mantovina", je sais que ça me hante et m'obsède mais tout de même...»

Alors une dame très élégante assise à sa droite se pencha vers son épaule et, d'un sourire complice et dans un français châtié qui roulait les «r», lui glissa à l'oreille :

«Pardon, monsieur, mais ça, c'était plutôt une chanson drôle de Jan Werich, très connu ici.

— Ah... Et qu'est-ce que ça raconte ?

— L'histoire d'un golem amoureux qui fond sous la pluie.»

Comme leurs voisins leur intimaient le silence, la conversation n'alla pas plus loin. Mais le bref échange avait suffi à Gustave Meyer pour qu'il ait la confirmation d'un sentiment terrifiant : son univers s'était progressivement golémisé où qu'il fût et quoi qu'il fît. Impossible d'en sortir. Il en était cerné. Un homme pouvait en être responsable à ses yeux. Le seul qui pouvait avoir désormais intérêt à sa perte. Celui qu'il était venu affronter dans cette ville. Le concert s'achevait sous des applaudissements nourris. Le bis chaleureusement réclamé par le public fut accordé sans manières. La soprano Michaela Srumova se présenta seule sur scène. Lorsqu'elle commença à chanter *a cappella*, Meyer reçut un discret coup de coude de sa voisine :

«Le voilà, votre morceau, enfin, si l'on veut», lui chuchota-t-elle.

Et en effet, il en reconnaissait l'air, quoique métamorphosé et dans une langue qui ne ressemblait pas à de l'italien. Alors on assista à une manifestation inédite dans

245

la prestigieuse salle de concerts : en différents points du public, une, puis deux, puis quelques autres personnes dont certaines au balcon se levèrent et l'écoutèrent figées debout en remuant les lèvres, tandis qu'un murmure cuivré, d'étonnement mêlé de désapprobation, parcourait la salle. Mû par un réflexe archaïque qu'il aurait été bien incapable d'expliquer à Emma, restée assise et incrédule, embarrassée que son père se fît à nouveau publiquement remarquer, il se leva à son tour et se maintint figé face à la chanteuse jusqu'à ce qu'elle ait terminé.

À la sortie, les commentaires fusaient sur ces gens incapables d'écouter le poème symphonique du cher et vénéré musicien national Smetana sans entendre en lieu et place l'hymne national israélien, la *Hatikva* étant inspirée de sa *Vltava*. L'ayant découvert ce soir-là, seul un étranger à chapeau mou et lunettes à verres teintés en parut soulagé et heureux.

En quittant Emma après avoir marché dans Starometska, il lui donna rendez-vous pour le lendemain à 11 heures au Grand Hôtel dans la ville nouvelle, sans lui en préciser le motif ; mais le connaissant, elle se doutait bien que ce n'était pas que pour en admirer la décoration. Pris d'un doute, il rebroussa chemin et la suivit. Une femme l'attendait en se roulant une cigarette sous l'horloge astronomique de l'hôtel de ville. Grande, blonde, toute de noir vêtue, elle avait l'air de descendre de moto ; elles échangèrent un regard et un sourire, comme deux personnes qui se retrouvent peu après s'être quittées. Elles repartirent ensemble, telles deux amies proches.

Le lendemain, dès qu'Emma se rendit au Grand Hôtel, elle comprit. Des factotums s'affairaient en tous sens, des caisses roulaient dans les couloirs, des employés couraient. Le splendide café Art nouveau avait été réquisitionné par la Fondation Excelsior, financée indirectement par l'un des géants de l'industrie pharmaceutique, pour décerner des prix, remettre des chèques et distinguer les grands esprits susceptibles de faire avancer la recherche médicale. Tout se déroulait habituellement entre gens du même monde. En voyant leurs invités se faire déposer dans des limousines sous l'objectif des caméras, les organisateurs qui observaient le ballet depuis le balcon de leur suite s'estimaient satisfaits. Ils avaient d'ores et déjà créé l'événement.

À 11 heures passées de 20 minutes, Emma désespérait de trouver son père dans cette foule quand un homme la bouscula, un employé d'une société de services à en croire son blouson et sa casquette. C'était lui, un sourire complice à la commissure des lèvres. Il s'était présenté très tôt en anglais comme délégué technique de la Fondation Excelsior au responsable de l'installation sonore et visuelle de la manifestation ; et dès sa sortie du camion devant l'entrée des fournisseurs, il s'était mis à son service. En le voyant s'affairer entre les fils, les micros, les ordinateurs, les consoles,

les téléphones, les haut-parleurs et tout un attirail technologique dernier cri qu'il manipulait avec aisance,
elle subodora ce qu'il préparait. Après avoir fait un
tour dans le Grand Hôtel à la recherche des toilettes,
elle voulut le retrouver pour en avoir le cœur net mais
il avait disparu.

Gustave Meyer n'était pas si loin. Après une dernière
vérification auprès de la réception, il circulait dans les
étages du Grand Hôtel comme l'y autorisaient son uniforme et le matériel qu'il portait à l'épaule. Il frappa à
la porte de la chambre 411. Une voix d'homme répondit «J'arrive!» avant d'ouvrir et de laisser entrer ce
technicien à la tête baissée, coiffée d'une casquette, qui
devait d'urgence réparer le téléphone. Il entra, s'age-
nouilla au chevet du lit, démonta l'appareil tandis que
le voyageur en chemise ajustait sa cravate. Manifestement, il était seul. Alors Meyer se releva, se découvrit
la tête et se prépara à affronter ce Klapman dont il
disait qu'il était comme son frère et qui s'était avéré
être son meilleur ennemi.

«Gustave, c'est toi? mais qu'est-ce que tu fais là? et
dans cet accoutrement en plus? dit-il, stupéfait, avant
de reprendre ses esprits et son assurance. Tu nous as
fait peur, tu sais. On n'a pas arrêté de te chercher partout. Tu dois être fatigué avec tous ces événements.
Tiens, buvons un verre pour fêter ça et tu vas me raconter ce qui se passe.

— C'est plutôt toi qui vas me raconter, Robert.

— Je ne comprends pas.

— Tu as toujours su où j'étais puisque ton âme damnée, ce Jan, n'a pas cessé de me suivre.

— Mon archiviste à l'hôpital ? mais tu plaisantes ! Si tu l'as croisé ici, c'est parce que ses parents habitent là, voilà tout. Tu m'as l'air un peu surmené par tes crises, il faudrait faire le point. »

Le médecin servit deux whiskies en lui tournant le dos. Meyer accepta le verre qu'il lui tendait et attendit qu'il porte le sien à ses lèvres pour, au dernier moment, les échanger.

« N'importe quoi ! railla Klapman en partant dans un grand éclat de rire qui trahissait sa nervosité extrême. Arrête ce jeu.

— C'est toi qui as tué Marie, toi qui as bidouillé ton ordinateur pour commander les freins de sa voiture. Et même si tu t'es fait aider d'un hacker, c'est toi qui as ça sur la conscience. Tu avais tout planifié. Magnifique, ton double sacre à Prague : éclatant, par une fondation prestigieuse et irréprochable ; et plus discret, par la victoire au grand tournoi d'échecs de ta créature, parfaitement, de ta créature, ce que tu as fait de moi, ordure, pour prouver un jour que l'homme augmenté est l'avenir de l'homme et que l'humanisme du futur, le trans, le post et même le post-post si ton esprit dérangé l'a déjà envisagé, dominera notre espèce. »

Le professeur Klapman l'écoutait sans dire un mot, sans manifester la moindre réaction, comme vidé de ses forces, le corps enfoncé dans le fauteuil. Il paraissait soulagé. Il vivait l'épreuve non comme un accablement mais comme une libération. Lui, d'ordinaire si agité, semblait étrangement calme.

L'heure n'était plus à la dénégation. Meyer en savait beaucoup, trop. Les détails de son récit étaient d'une précision hallucinante. Alors Klapman redevint le cynique qu'il n'avait jamais cessé d'être.

Oui, c'est moi qui ai supprimé Marie, elle n'aurait jamais dû se mêler de nos affaires, je l'avais pourtant prévenue sans la menacer mais tu la connais, têtue, obstinée, alors qu'en face il y avait une puissance, et puis quoi, elle ne voulait pas comprendre que l'avenir de l'humanité est en jeu, qu'on a déjà changé de système de pensée, on a tourné la page et de tels obstacles pour mineurs qu'ils soient doivent être éliminés, alors oui, je l'ai fait plonger et ses amis, tous aussi retardés qu'elle, n'y pourront rien, il faut avancer, c'est cela le nouvel avenir radieux et je m'étonne, mon cher Gustave, que tu ne me sois pas reconnaissant de t'avoir bricolé un peu le cerveau, je sais, à ton insu, mais sais-tu que ta mémoire est désormais cent fois supérieure à celle de n'importe quel joueur non augmenté, le sais-tu seulement? Même sans un entraînement intensif, c'est toi qui l'emporteras au tournoi, aucun doute là-dessus, c'est scientifiquement imparable, alors tu pourrais m'en être reconnaissant, n'est-ce pas, d'autant que maintenant, avec la consécration octroyée par ces grands naïfs de la Fondation Excelsior, je vais pouvoir diffuser mes idées bien au-delà de nos cercles militants et ça va être grandiose.

Il s'était levé pour agiter ses bras en détachant bien les syllabes :

« Gran-di-ose ! Tu entends ? Allez maintenant, laisse-moi me préparer, et toi, tâche de te concentrer pour ton tournoi, c'est ce que tu as de mieux à faire. »

À l'instant même où son ami allait franchir le seuil de la suite, Klapman le rappela. Il s'approcha de lui, posa calmement ses mains sur sa poitrine et, esquissant un sourire, les leva jusqu'à son front :

« Surtout, n'oublie jamais que si tu as une âme, c'est parce que je te l'ai insufflée. Tu me la dois. »

Trente minutes plus tard, la cérémonie commença. Il y eut des discours en langue de bois, des remises de hochets de vanité divers et variés, les uns et les autres se congratulant. L'organisation roulait parfaitement. La sécurité était aux aguets. Du poste technique où il était cantonné dans une mezzanine, sous des moulures baroques du plus bel effet, Meyer jouissait d'une vue panoramique idéale. Lorsque vint le tour du sacre de Klapman, son portrait tout sourire apparut comme prévu sur le grand écran, suivi d'un bref film retraçant sur le mode épique sa réussite de neurochirurgien de pointe. Il s'acheva par une salve d'applaudissements.

Le professeur Klapman prit enfin la parole. Son discours se voulait consensuel, sans aspérité. Rien qui pût soulever la moindre objection. Aussi fut-il surpris de constater des remous dans le public. Troublé, sa langue en trébucha. Pour qu'il comprenne, il fallut qu'un secrétaire de la fondation se précipitât à la tribune afin de lui suggérer de se retourner. Depuis quelques minutes, sa photo sur le grand écran avait été remplacée par l'édition anglaise du blog de Marie Meyer à la date du jour. Le titre du billet ne laissait aucun doute sur la direction de l'enquête : « Robert Klapman, idéologue des transhumanistes les plus radicaux ». L'accusation était accablante, argumentée, documentée. On y lisait même des reproductions de lettres de sa main.

Passé l'effet de surprise, la sécurité réagit. Nina était là, entourée de collègues tchèques. Tous désignèrent d'un même élan et d'une main tendue la mezzanine dans les hauteurs. Bien qu'elle fût vide de toute âme, ils se précipitèrent vers l'escalier pour y accéder mais la porte était cadenassée. Le directeur de l'hôtel intervint pour que nul n'y tire un coup de feu, et pour que les gardes cessent d'y donner des coups de pied car elle était classée, comme presque tout l'hôtel. Réfugié dans un coin, à l'abri derrière une lourde tenture de velours cramoisi, Meyer manipulait les machines à distance à l'aide de télécommandes et d'un petit ordinateur. Tout se déroulait comme prévu.

Un film chassa le blog de Marie Meyer, ce qui eut pour effet de faire rasseoir nombre de participants que le tour scandaleux pris par la cérémonie avait propulsés hors de leur chaise. S'ils ne s'étaient pas assis, ils en seraient tombés, car ce qu'ils voyaient et ce qu'ils entendaient, l'image accordant du crédit au son et réciproquement, était proprement stupéfiant. Le professeur Klapman, l'homme du jour, sacré et consacré sous leurs yeux pour des mérites qui devraient un jour lui valoir le Nobel, expliquant calmement qu'il avait tué une femme car elle s'apprêtait...

Klapman courait dans les travées ; il allait de table en table, renversant des vases et des bouteilles au passage ; on ne le tenait plus ; il tentait de rassurer les uns et les autres, les grands patrons et les grands mécènes, les neurologues et les chercheurs, en expliquant avoir été piégé, mais nul ne semblait le croire. Soudain, une vision l'arrêta dans la travée centrale. Gustave Meyer se dirigeait vers lui. Tandis que des policiers tchèques se postaient devant toutes les portes de la salle, et que Nina s'apprêtait à intervenir, Emma plongea sur elle, s'empara d'elle en la ceinturant par-derrière et l'entraîna derrière la tenture, la main sur la bouche.

À mesure qu'il avançait, Gustave Meyer voyait son ami pâlir, les pupilles dilatées, les yeux exorbités, un filet de salive coulant au coin de ses lèvres, ses bras pris de tremblements, passant de la colère au désespoir. Comme si la honte devait lui survivre. Nul besoin d'une poignée de main pour capter les messagers chimiques de sa sueur. Ils disaient la sidération et l'effroi.

Quand il fut parvenu à sa hauteur, l'assistance fit natu-rellement cercle autour d'eux dans un grand désordre de chaises renversées et de tables bousculées. Un silence de plomb s'abattit soudain sur l'assemblée. Meyer retira son blouson bardé de logos ; puis il enleva sa casquette et arracha la caméra GoPro qu'il avait accrochée derrière l'écusson.

« C'est fini, Robert. Tout est fini. »

Klapman scrutait son front. Il y posa les doigts, comme pour y tracer quelque chose que lui seul sem-blait voir, mais n'y trouva rien. Puis en se saisissant de lui, il fut pris d'horreur devant les deux tatouages : « א מ ת » sous l'avant-bras gauche et « Emet » sous le droit. Il étouffa un cri inhumain, comme si la figure du démon lui était apparue. Par une suite de gestes privés de sens, il tenta d'effacer la première lettre, le « E » sans lequel « Emet » ne signifie plus la vérité mais la mort.

« Mais tu n'es rien, Gustave, tu n'es pas un homme, tu es un golem. Tu es *mon* Golem. J'éteindrai ta lumière, être impur. Redeviens argile ! Retourne à ta poussière ! Tu es mort, tu entends ? Mort ! » hurlait-il comme un possédé devant les invités médusés.

Sous le poids des regards, il murmurait des paroles incompréhensibles. Seul Meyer pouvait deviner : des combinaisons de lettres correspondant aux onze der-nières lettres de l'alphabet, opération censée réduire le Golem au néant. Pendant ce temps, de toutes parts, les policiers s'approchèrent lentement du professeur

Klapman, jusqu'à ce que des agents de sécurité de la fondation s'interposent et forment un écran, tandis que discrètement, dans un coin de la salle, son président s'entretenait avec un responsable de la police.

Gustave Meyer profita de la cohue pour s'éclipser. De cet instant, il cessa d'être un homme en fuite, une immobilité vibrante.

❖

La nouvelle avait parcouru la ville en un rien de temps. Jamais les organisateurs du tournoi international d'échecs n'auraient cru que tant de journalistes s'intéresseraient au jeu. Ils se bousculaient à l'entrée pour ne pas le rater. Gustave Meyer arriva à l'heure prévue, comme si rien ne s'était passé, dans le grand bâtiment réservé à cet effet. Nina et Emma l'escortaient. Pour rien au monde elles n'auraient raté ça. Tout grand tournoi relève du show. Le plus difficile est d'échapper à ce cirque. Rester concentré, hors d'atteinte, à l'écart. Pas le bon jour pour sonder le mystère à l'œuvre dans les échecs.

Le grand maître consentit de bonne grâce au rituel de l'interview, mais les demandes étaient si nombreuses qu'il fallut improviser une conférence de presse.

«Monsieur Meyer, comment expliquez-vous la réaction du professeur?

— Il n'y a plus d'espoir pour celui qui est pris dans le

rêve de l'autre. Robert Klapman m'avait pris dans son rêve et il a perdu la raison en me voyant en sortir.

— Mais comment vous considérait-il ?

— L'homme est un singe parmi d'autres mais je ne suis pas un monstre, si c'est bien le sens de votre question.

— Était-il fou ?

— La folie, ce n'est pas la quête de la perfection dans la recherche de la connaissance, fût-ce pour façonner un être artificiellement. La folie, c'est de le faire quand on croit y parvenir. La sagesse, c'est de s'en abstenir.

— Que veut dire votre nom ?

— C'est une variante de l'hébreu Meïr qui signifie "celui qui éclaire". Vous y voyez plus clair ?

— Tous les grands joueurs ont des surnoms : le Boa, le Kid de Brooklyn, l'Ogre de Bakou, Iceman... et vous ?

— Moi ? Golem. »

L'heure était venue du grand affrontement. On le fouilla à l'aide de détecteurs de métaux et de brouilleurs, on vérifia qu'il n'avait pas caché de téléphone portable dans les toilettes, au nom de la lutte contre ce que la Fédération internationale des échecs appelait le dopage high-tech, ce qui avait le don de le faire sourire. C'était si dérisoire par rapport à ce qu'il avait en lui, ce qu'il dissimulait dans les plis de son cerveau et que nul ne devinerait jamais. Son adversaire l'attendait sur l'estrade. Hormis son génie du jeu, il n'avait rien d'exceptionnel. Juste un homme banal. Mais prêt à briser l'ego de l'autre pour l'emporter. On disait de lui qu'il se flattait de jouer aux échecs contre Dieu en lui laissant un pion de plus.

L'adversaire avait les blancs. À lui le privilège de l'ouverture. Il lança une attaque est-indienne. Gustave Meyer le regarda, esquissa un sourire, arrêta l'horloge et coucha son roi sur l'échiquier avant de lui serrer la main. Puis il se leva, abandonna ses lunettes à verres teintés et son chapeau cabossé sur sa chaise, et traversa la salle médusée par l'allée principale.

Non, il n'avait pas été créé à partir d'une poussière sans vie. Il n'était pas d'argile et d'électrodes mais de chair et de sang. Il se sentait déjà s'éloigner de sa vie.

Survient le jour où il faut cesser de traîner tout un cimetière derrière soi, mettre à distance sa propre forêt de pierres, comprendre les sacrifices tout en refusant d'être tué par ses morts, se débarrasser de ses démons et revenir du côté des vivants.

Il allait vivre.

Mon Dieu, un peu de légèreté enfin. Il n'aspirait à rien d'autre dans sa chute hors du temps. Peut-être n'avait-il cessé de se dépouiller de toutes les choses matérielles que dans cette perspective. La légèreté et rien de plus. Déjà, son regard souriait dans l'ombre de ses belles années. Il n'aurait pas à se dire au soir

257

de sa vie : « Je ne reconnais pas cet homme que je fus, cet étranger qui portait mon nom. »

Gustave Meyer traversa le pont Charles, abandonnant ses fantômes derrière lui. À mi-chemin, il s'arrêta. La Vltava était gelée, et les arbres sur les quais, raidis de givre. Il leur lança un dernier regard. Puis il scruta le ciel où va le blanc quand fond la neige.

« Je suis de nouveau loin, j'ai encore une lointaine histoire, je m'attends au loin pour que mon histoire commence, pour qu'elle s'achève, et de nouveau cette voix ne peut être la mienne. C'est là où j'irais, si je pouvais aller, celui-là que je serais, si je pouvais être. »

SAMUEL BECKETT,
« L'innommable », in *Nouvelles et textes pour rien*

CARTIER-BRESSON, L'ŒIL DU SIÈCLE, Plon, 1999, repris dans « Folio » n° 3455.

PAUL DURAND-RUEL, LE MARCHAND DES IMPRESSION-NISTES, Plon, 2002, « Folio » n° 3999.

ROSEBUD ÉCLATS DE BIOGRAPHIES, Gallimard, 2006, « Folio » n° 4675.

Récit

LE FLEUVE COMBELLE, Calmann-Lévy, 1997, repris dans « Folio » n° 3941.

Documents

DE NOS ENVOYÉS SPÉCIAUX : LES COULISSES DU REPOR-TAGE, en collaboration avec Philippe Dampenon, Jean-Claude Simoën, 1977.

LOURDES, HISTOIRES D'EAU, Alain Moreau, 1980.

LES NOUVEAUX CONVERTIS : ENQUÊTE SUR DES CHRÉ-TIENS, DES JUIFS ET DES MUSULMANS PAS COMME LES AUTRES, Albin Michel, 1981, repris dans « Folio actuel » n° 30, nouvelle édition en 1992, revue, augmentée et actualisée.

GERMINAL : L'AVENTURE D'UN FILM, Fayard, 1993.

L'ÉPURATION DES INTELLECTUELS, Complexe, 1996.

BRÈVES DE BLOG. LE NOUVEL ÂGE DE LA CONVERSATION, Les Arènes, 2008.

AUTODICTIONNAIRE SIMENON, Omnibus, 2009 (Le Livre de Poche, 2011).

AUTODICTIONNAIRE PROUST, Omnibus, 2011.

LA NOUVELLE RIVE GAUCHE, avec Marc Mimram, Alternatives, 2011.

DU CÔTÉ DE CHEZ DROUANT. 110 ANS DE VIE LITTÉRAIRE CHEZ LES GONCOURT, Gallimard, 2013.

Entretiens

LE FLÂNEUR DE LA RIVE GAUCHE, AVEC ANTOINE BLONDIN, François Bourin, 1994, rééd. La Table ronde, 2004.

SINGULIÈREMENT LIBRE, AVEC RAOUL GIRARDET, Perrin, 1990.

Rapport

LA CONDITION DU TRADUCTEUR, Centre national du Livre, 2011.

*Ouvrage composé
par I.G.S.-Charente-Photogravure.
Achevé d'imprimer
sur Roto-Page
par l'Imprimerie Floch
à Mayenne, en décembre 2015.
Dépôt légal : décembre 2015.
Numéro d'imprimeur : 89083.*

ISBN 978-2-07-014618-5 / Imprimé en France.

268546